DIEDERICHS
GELBE REIHE

Meister Kung, lehrend im Kreis seiner Jünger. Aus einer Holzschnittfolge über das Leben des Kungfutse (Kanghsizeit, 17. Jahrhundert)

KUNGFUTSE

Gespräche · Lun Yü

Aus dem Chinesischen übertragen
und herausgegeben von Richard Wilhelm

Eugen Diederichs Verlag

Mit 1 Frontispiz und 4 Abbildungen

CIP-Titelaufnahme der Deutschen Bibliothek
Kongfutse:
Gespräche = Lun-yü / Kungfutse. Aus d. Chines. übertr. u.
hrsg. von Richard Wilhelm – 50.–52. Tsd. d. Gesamtaufl. –
München : Diederichs, 1990
(Diederichs Gelbe Reihe ; 22 : China)
Einheitssacht.: Lunyu ⟨dt.⟩
ISBN 3-424-00622-X
NE: Wilhelm, Richard [Hrsg.]; GT

50.–52. Tausend der Gesamtauflage 1990
© Eugen Diederichs Verlag, München 1955
Alle Rechte vorbehalten

Umschlaggestaltung: Zembsch' Werkstatt, München
Produktion: Tillmann Roeder, München
Gesamtherstellung: Friedrich Pustet, Regensburg

ISBN 3-424-00622-X

Printed in Germany

EINFÜHRUNG

Niemand, der sich mit China beschäftigen will, kann an der Persönlichkeit des Kung (der von den Jesuiten Konfuzius genannt wurde, nach dem chinesischen Kung Fu Dsï = Meister Kung, und diesen Namen in Europa bis heute behalten hat) vorübergehen. Kung war durch die Jahrtausende das Ideal der überwältigenden Mehrheit des chinesischen Volkes, und niemand kann ein Volk richtig beurteilen, ohne dessen Ideale zu verstehen. Dennoch ist man in Europa weit davon entfernt, zu einer eindeutigen Würdigung dieser Persönlichkeit durchgedrungen zu sein. Um die Größe einer historischen Persönlichkeit objektiv festzustellen, muß man alle persönlichen Geschmacksrichtungen zunächst beiseite lassen und nur seine tatsächliche Wirkung in Betracht ziehen. Jede hervorragende Persönlichkeit hat eine ganz bestimmte Auffassung der metaphysischen Gründe des Weltgeschehens. Und dieser Auffassung entsprechend gestaltet sie ihr Leben. Wie in der Musik ein jeder Komponist seinen bestimmten Rhythmus hat, der alle seine Werke einheitlich durchdringt, so hat jeder große Mann eine besondere Rhythmik des Handelns und Erlebens, die sich mehr oder weniger von dem passiven Gelebtwerden der großen Menge unterscheidet. Die Größe einer Persönlichkeit hängt nun einerseits davon ab, wie hoch sich diese Eigenart des Erlebens über das Niveau ihrer Zeit erhebt, und andererseits davon, wie groß ihre Kraft ist, auch andere Menschen in diese neue Art des Lebens hineinzuziehen und so ihr Leben gestaltend zu bestimmen. Von diesem Gesichtspunkt aus muß man Kung entschieden als einen der ganz Großen der Menschheit bezeichnen; denn seine Wirkung auf die ganze ostasiatische Welt, zusammen wohl nahezu ein Drittel der Menschheit, hat sich bis heute erhalten, und ebenso ist das sittliche Ideal, das er vertritt, ein solches, das wohl einen Vergleich aushält mit den übrigen Weltreligionen.

Der Versuch einer Lösung des Problems der Persönlichkeit

Kungs als Faktors der Menschheitsentwicklung wird als notwendige Voraussetzung seine historische Eingliederung in den Zusammenhang des Lebens der chinesischen Rasse haben. Wir fragen daher zunächst: Was fand er vor? – dann: Was hat er erstrebt? – und weiter: Was hat er erreicht? Eine Würdigung dessen, was er an bleibenden Werten dem geistigen Besitz der Menschheit hinzugefügt hat, möge den Abschluß bilden!

DIE GESCHICHTLICHEN VORAUSSETZUNGEN

Was uns an Quellen für die chinesische Urzeit zur Verfügung steht, ist im wesentlichen alles durch die Redaktion Kungs hindurchgegangen. Es sind die fünf kanonischen Schriften der »Urkunden«, »Lieder«, »Wandlungen«, »Annalen des Staates Lu« und der – erst später fixierten – »Riten«. Wir haben Anhaltspunkte darüber, daß Kung bei seiner Redaktionsarbeit ziemlich radikal vorgegangen ist. Nicht darum war es ihm zu tun, eine historische Darstellung der Vergangenheit zu geben, sondern er wollte die Geschichte als einen Spiegel für die Zukunft überliefern. Er schrieb die Geschichte nur vom Standpunkt seiner Lehre aus, die er in ihr zusammengefaßt sieht. Ebenso ging er bei der Sammlung der Lieder und Bräuche durchaus kritisch vor.

Immerhin bewegen sich die redaktionellen Änderungen Kungs in ganz bestimmten Bahnen. Er läßt manches ihm unrichtig dünkende weg, rückt anderes in eine neue Beleuchtung; aber wir dürfen das Zutrauen zu ihm haben, daß er den wesentlichen Gehalt der ihm vorliegenden Quellen unangetastet ließ. Als ungünstiges Moment kommt jedoch in Betracht, daß keine der von ihm redigierten Schriften sich in ihrer ursprünglichen Gestalt erhalten hat. Weit mehr als die Bücherverbrennung des Tsin Schï Huang, die von den Chinesen für den Zustand ihrer alten Literatur verantwortlich gemacht wird, sind die allgemeinen Unruhen der auf Kung folgenden Jahrhunderte dafür verantwortlich. Die alte chinesische Welt fiel rettungslos dem Untergang anheim, und als sich aus den Trümmern später die Handynastie erhob und man begann, sich auf die Schätze alter Wissenschaft wieder zu besinnen, da war vieles schon sehr stark mitgenommen vom Sturm der Jahrhunderte. So ist uns denn die ganze alte Literatur nur so überliefert, wie sie aus dem Schutt der Zeiten hervorgezogen wurde.

Soweit uns die vorhandenen Urkunden gestatten, uns ein Bild von den Zuständen der alten Zeit zu machen, scheinen die Verhältnisse recht einfach gewesen zu sein. Selbst der Herrscher, dessen Macht oft übrigens mehr nominell gewesen zu sein scheint, lebte noch keineswegs luxuriös. Manche Schilderungen aus der alten Zeit, besonders in Beziehung auf Yü, geben recht primitive Bilder. Die Wirtschaftsform war agrarisch. Bedeutender als kriegerische Eroberung war friedliche Durchdringung weiter, noch unkultivierter Gebiete. Infolge davon ist die Gesellschaftsstruktur wesentlich von der westlichen verschieden. Im Okzident baute sich die Volksgemeinschaft fast durchweg auf dem Grund der kriegerischen Organisation der wehrfähigen Mannschaft auf. Darum war der Einzelne aus dem Kreis der Krieger Träger selbständigen Rechts innerhalb der Sippen. Der einzelne freie Mann bildete die Zelle der Gesellschaft, die sich je nach den Verhältnissen zur Demokratie oder Militärdespotie weiterentwickeln konnte. Auf alle Fälle waren damit die Grundlagen für eine Entwicklung des Individuums und somit auch für individuelle Religion und individuelle Moral gegeben. Ganz anders in China. Hier steht nicht kriegerische Eroberung, sondern friedliche Durchdringung am Anfang. Schon frühe hören wir von der Einteilung des Landes in Felder, die den einzelnen Familien zur Bebauung übergeben wurden. Die Feldbebauung setzt aber in der Familie ganz von selbst eine kollektivistische Wirtschaftsform voraus. So ergibt sich als Grundzelle des chinesischen gesellschaftlichen Organismus nicht das Individuum, sondern die kommunistische Familie. Es verdient hier hervorgehoben zu werden, daß sich Spuren eines Zustandes der Mutterfolge noch nachweisen lassen, doch scheint die Familie unter der Herrschaft des Vaters schon ziemlich weit zurückzugehen, wenn auch in der fast religiösen Betonung der väterlichen Autorität noch der Einfluß der Umwandlung der Sippe in die Familie durchklingt. Da aber zur Sicherung und Regelung des Lebens gemeinsame Unternehmungen unter einheitlicher Leitung, wie z. B. Fluß-regulationen, notwendig waren, so bildet sich das Familien-patriarchat zum gesellschaftlichen Patriarchat mit dem Für-sten an der Spitze weiter. Wir finden die ethischen, reli-giösen und naturwissenschaftlichen Verhältnisse des vor-konfuzianischen China durchaus in Übereinstimmung mit den theoretischen Folgerungen, die sich aus diesen Zuständen ziehen lassen. Während in der Ethik des Westens die kriege-rische Tugend des Muts und die damit zusammenhängenden Tugenden des Forschungstriebes und Wahrheitssinnes die Keimzelle für die ethische Entwicklung bilden, steht in China die gewissenhafte Einordnung in den Familienorganismus und durch ihn in den Gesellschaftsorganismus obenan, eben weil das die Tugend war, die innerhalb der gegebenen sozia-len Verhältnisse am nötigsten und wertvollsten sich erwies. Von hier aus wird uns die Rolle, welche in China die Pietät spielt, ohne weiteres klar.

Dieselben Folgerungen ergeben sich auf religiösem Gebiet. Die Religion hat in China niemals die individuell-selbstän-dige Entwicklung gefunden wie im Westen. Das Altertum kennt Zauber und Divination als wesentliche Züge des Lebens. Namentlich scheint auch die Schrift, die die Bilder der Gegenstände festzuhalten vermochte, als Zaubermittel hoch bewertet worden zu sein. Noch bis auf den heutigen Tag gelten geschriebene Zeichen für etwas einigermaßen Hei-liges. Ebenso finden sich Spuren der Zaubermacht des Na-mens, in dem man Gewalt über das zugehörige Ding besitzt. Aus einer späteren Schicht stammen die Opfer, deren Vollzug als geheimnisvoll mit dem Weltlauf in Zusammenhang ste-hend betrachtet wurde. Verehrt wird der Gott des Himmels, ferner die Erde, und zwar die Erde (di) als Mutter im Gegen-satz zum Himmelsvater, aber auch der männlich gedachte Gott der Ackerkrume (Hou Tu); außerdem die wichtigsten Naturgottheiten, die dem höchsten Gott beim Opfer bei-geordnet werden. Daß auch der Ahnenkult in ältere Zeit zu-rückgeht, ist wohl selbstverständlich. Immerhin dürfte die feste Ordnung des Ahnenkultes erst mit der Dschoudynastie ihren Anfang genommen haben.

Die Begrenzung auf den Gebrauch der staatlich organisierten

menschlichen Gesellschaft gibt der Wissenschaft der vorkon-
fuzianischen Periode ihren bestimmten Charakter. Interesse-
lose Forschung aus bloßer Wißbegier kennt das chinesische
Altertum so gut wie gar nicht. Auch das Wissen ist praktisch
orientiert. Es ist für die Menschen, die Ackerbau treiben, ein
unabweisbares Bedürfnis, daß sie den Verlauf ihrer Tätigkeiten dem Naturverlauf und seinen Gesetzen anpassen, daß die
menschlichen Ordnungen sich einfügen in die Weltordnung.
Die Welt ist durch göttliche Vernunft (das Tao) regiert, und
diese Prinzipien gilt es zu erforschen, damit der Kreis der
menschlichen Tätigkeiten entsprechend gestaltet werden kann.
So findet sich schon in ältesten Zeiten eine verhältnismäßig
hohe Stufe der astronomischen Beobachtung, um mit ihrer
Hilfe den Gang der Jahreszeiten und die entsprechenden Arbeiten des Ackerbaus festzulegen. Die Sorge für den Kalender war denn auch zu allen Zeiten eine wichtige Pflicht der
kaiserlichen Regierung; es gab ein kaiserliches Hofamt, dem
es oblag, jährlich den Kalender herauszugeben, in dem die
geeigneten Tage für alle möglichen Unternehmungen des
Lebens angegeben wurden. So suchte man seit urältester Zeit
den Naturkräften und ihrer Ordnung durch eine an pytha-
goräische Lehre erinnernde Zahlensymbolik beizukommen.
Der Dualismus der Urkräfte (Licht – Finsternis, männlich –
weiblich usw., chinesisch yang yin) sowie die an die Fünf-
zahl sich anschließende Einteilung alles Bestehenden in Na-
tur- und Menschenwelt (es gibt fünf Farben, fünf geographi-
sche Punkte – nämlich Mitte, Süden, Norden, Osten, Westen
–, fünf Tugenden usw., die alle in einem geheimnisvollen Zusammenhang stehen) bilden einen Hauptbestandteil dieser
primitiven Naturphilosophie.
Die Kulturentwicklung hatte es im Wechsel der Dynastien
schon damals zur Folge gehabt, daß kein einheitliches Volks-
bewußtsein mehr existierte, sondern verschiedene Linien geistiger Strömungen sich herausgebildet hatten. Während die
eine Linie, die sich im späteren Taoismus fortsetzte, sich mehr
an die Traditionen der Schangdynastie hielt, deren bedeutende Männer im Lauf der Jahrhunderte vom Taoismus fast
alle deifiziert wurden, zeigen sich ums erste Jahrtausend zu
Beginn der Dschoudynastie bereits gewisse Anfänge strafferer

Organisation der Gesellschaftsordnung, die in Kung und seiner Lehre ihren Abschluß und ihre Vollendung fanden.

Mit der Dschoudynastie kommen wir auf Einflüsse aus dem Westen. Es ist sehr wahrscheinlich, daß diese Dynastie, die Generationen lang mit großer Umsicht an der Befestigung und Ausbreitung ihrer Macht gearbeitet hat, nicht chinesischen Ursprungs ist, sondern von außen her in China eindrang. Es muß eine Art Völkerwanderung gewesen sein, und die Art, wie die eindringenden Barbaren allmählich sich Kultur und Macht in China verschafften, hat ihre Parallele in der Übernahme des Römischen Imperiums durch die einrückenden Germanen.

Abgesehen von den früheren Häuptlingen dieser Stämme, von denen einer geschildert wird, wie er zu Pferd – von seiner Frau begleitet – die neuen Wohnsitze für die Seinen aussucht, sind es hauptsächlich drei Männer, die in der konfuzianischen Tradition die Siebenzahl der berufenen Heiligen voll machen: der König Wen, der moralisch den Einfluß der Familie im Reiche durchgesetzt hat, ohne den letzten Schritt der Usurpation zu tun, der König Wu, sein Sohn, der in hohem Alter die kriegerische Aktion gegen den Tyrannen Schou Sin unternommen, und dessen jüngerer Bruder Dan, der Fürst von Dschou, der für seinen unmündigen Neffen die Regierung führte und dessen Familie mit dem Heimatstaat des Kung, dem Fürstentum Lu, belehnt wurde.

Durch König Wu und noch mehr durch seinen bedeutenderen Bruder, den Fürsten Dschou, wurden nun neue Lebensordnungen für das ganze Reich geschaffen, die sich wohl den Überlieferungen der guten alten Zeit im allgemeinen anschlossen, bei denen aber auch schon andere Linien in Erscheinung zu treten beginnen, die später durch Kung zum unveräußerlichen Bestand der chinesischen Geistesstruktur gemacht wurden, und zwar ist es vor allem die Familienidee, die in den Mittelpunkt gerückt wird. Die Familie findet ihre Ausgestaltung nicht in der Einzelfamilie, sondern in der mehrere Generationen umfassenden Gesamtfamilie, die bis auf den heutigen Tag in China besteht. Aus der Dschoudynastie scheint die Einrichtung zu stammen, die eine Heirat zwischen Gliedern derselben Sippe verbietet. Monogamie ist in der Weise durchgeführt, daß neben die eine legitime Hauptfrau deren Dienerinnen als Nebenfrauen treten können. Die Einrichtung eines fürstlichen Harems ging hier voran, obwohl sie eigentlich den monogamisch ausgelegten Verpflichtungen zwischen Mann und Frau widerspricht.

Die Ausgestaltung dieser Familienidee in der Praxis führt zum Lehenswesen. Die Dschoudynastie macht das Reich zum Lehensstaat, dessen einzelne Lehen vorzugsweise an Familienglieder vergeben wurden; auch zeigt sich in der Art, wie der verewigte König Wen als Genosse des höchsten Gottes angerufen wird, ein Aufrücken des Ahnenkults neben die Gottesverehrung. Begräbnisbräuche, die bisher sehr zurückgetreten waren, wurden betont, und der Ahnenkult wurde für den Mann aus dem Volk, der als solcher nicht mehr die Berechtigung hat, mit seinem Opfer vor den höchsten Gott zu treten, die religiöse Betätigung schlechthin. Damit hängt zusammen die Aufstellung des Pietätsprinzips als des moralischen Grundverhältnisses, aus dem die anderen Beziehungen erst abgeleitet werden. Eine reiche Ausgestaltung aller Lebensformen nach bestimmten Regeln (Li) ordnete alle Handlungen und schuf den äußeren Ausdruck, ohne den die innere Gesinnung nach antiker Auffassung nicht bestehen kann.

Dieses soziale System, gegründet auf die natürlichsten sozialen Triebe des Menschen, die Familiengefühle, ist ein wundervoll in sich abgeschlossenes Gebilde: der ganze Staat eine erweiterte Familie, die Fürsten oben und das Volk unten zusammengehalten von einem starken Gefühl der Zusammengehörigkeit. Das ganze Leben und alle Beziehungen zu Menschen und Göttern geregelt durch feste sittliche Normen, die zugleich der ästhetischen Ausgestaltung nicht entbehren. Eine hochentwickelte Kunst, entsprechend der Zeitrichtung vorzugsweise Musik, die von psychologisch-systematischen Grundsätzen ausgehend eine harmonische Stimmung des Seelenlebens direkt erstrebte: das ist die Schöpfung der Dschoudynastie. Eine solche höchste Blüte der Lebensgestaltung, soweit sie allein von den Herrschenden getragen wird, während das gewöhnliche Volk ohne individuelle Ausbildung passiv das Glück genießt, ist aber auf die Dauer nur aufrechtzuerhalten, solange ein hochbedeutender Genius an der Spitze steht. Gerade weil alles auf das freie Verhältnis persönlicher Autorität gestellt war, so mußte der ganze Bau ins Wanken geraten, sobald der Fürst keine Persönlichkeit mehr war, die durch ihr Wesen Autorität ganz von selbst erzeugte. Dieser Verfall blieb denn auch nicht aus. Allmählich lockerten sich die Bande des Feudalsystems; die einzelnen Territorialfürsten suchten sich so viel wie möglich von der Zentralgewalt selbständig zu machen. Schließlich führten die Könige der Dschoudynastie, auf ein verhältnismäßig kleines Stammland beschränkt, nur eine Art Schattendasein, während die Lehensfürsten untereinander mit Ränken und im offenen Krieg um die Hegemonie kämpften, die mit wechselndem Erfolg bald dem einen, bald dem andern zufiel. Dieselbe Erscheinung setzte sich nach unten fort. Daß diese allgemeine Usurpation und Anarchie demoralisierend auf die gesamten öffentlichen Zustände einwirken mußte und infolge davon auch unter dem Volk alle sittlichen Bande sich lösten, versteht sich von selbst. Die Zustände waren zur Zeit von Kungs Geburt so zerfahren, daß der Versuch einer Besserung der Verhältnisse aussichtslos erschien. Die staatsmännischen Kreise beschränkten sich auf die Durchführung einer opportunen Realpolitik. Die Grundsätze von der Macht der Moral als Staatspolitik waren in Vergessenheit geraten, der Einfluß der einzelnen Staaten beruhte auf ihrer Militärmacht, die durch vermehrten Steuerdruck auf einen möglichst hohen Stand gebracht werden sollte. Alles in allem bekommt man von den letzten Zeiten der Dschoudynastie den Eindruck des tiefsten Verfalls. Es war eine Art Weltuntergang einer großen Kultur, der sich langsam, aber sicher vollzog. Eine tiefgreifende Fäulnis hatte alle Kreise durchsetzt, und die alten Grundsätze der Kultur waren in voller Auflösung begriffen. Wie es häufig in solchen Dekadenzzeiten zu sein pflegt, war ein gewisser Schimmer intellektueller Regsamkeit über das Ganze gebreitet. Frech und geistreich wurde an den Einrichtungen der Vergangenheit Kritik geübt. Neue Gesellschaftstheorien wurden erdacht, so namentlich die für Einfachheit und Natürlichkeit unter dem Namen Kommunismus in Europa bekannte des Mo Di. Auf der andern Seite machte sich eine frivole Preisgabe aller Ideale zugunsten des bloßen Auslebens der animalischen Natur geltend, wie sie mit dem Namen Yang Dschu verknüpft ist. Man muß die Schilderungen des Buches Lië Dsï lesen, * die ja an sich aus etwas späterer Zeit stammen, aber doch etwa die Zustände zeichnen, wie sie ihre Keime in der Zeit Kung Dsïs hatten.

Gegenüber dieser Not der Zeit hatten die geistig bedeutenden Männer, die die Traditionen des alten Taoismus fortführten und unter denen Laotse der berühmteste ist, keinen Rat als den, sich aus der Wirrsal der Welt zurückzuziehen und sie ihrem Gang zu überlassen. Bei Laotse war der Grundgedanke der, daß durch das »Nichthandeln« der kranke Organismus der Gesellschaft wieder zur Ruhe und Genesung kommen werde, während andere, ihm verwandte Geister schlechthin verzweifelten und unter Preisgabe der bösen Welt ihrer eigenen mystisch-magischen Vervollkommnung lebten. Vertreter solcher Richtungen treten uns besonders im XVIII. Buch der »Gespräche« entgegen. – Das waren die Verhältnisse, die Kung bei seinem Auftreten vorfand.

LEBEN UND WERK DES KUNGFUTSE

Kung entstammt einer alten chinesischen Familie, die ihre Anfänge auf das königliche Geschlecht der Yindynastie zurückführte. Der späten Ehe eines alten Mannes mit einem blutjungen Mädchen entsprossen, hat er in frühester Jugend den Vater verloren. Er gehört aber nicht zu den Naturen, die durch äußere Familienverhältnisse wesentlich bestimmt werden. Schon in früher Kindheit regte sich in ihm ein mächtiger Zug zu den heiligen Bräuchen der Vorzeit. Sein liebstes Kinderspiel war es, mit kleinen Gefäßen die Opferriten nachzuahmen, – ein kleiner Zug, der manche Verwandtschaft mit den Jugendspielen anderer Geistesheroen hat; man denke nur an Goethes Puppenspiel! Dieser Zug zum Altertum blieb ihm sein ganzes Leben lang treu. Man kann wohl sagen, daß in ihm das chinesische Lebensideal der alten Zeit Person geworden ist. So finden wir ihn denn vom Erwachen des bewußten Lebens an damit beschäftigt, immer tiefer ein-

* Lië Dsï, Das wahre Buch vom quellenden Urgrund (Eugen Diederichs Verlag)

zudringen in das Erbe der Vergangenheit. Mit fünfzehn Jahren, sagte er von sich, sei sein Ziel das Lernen gewesen, und im höchsten Alter seufzt er einmal: »Wenn mir noch ein paar Jahre vergönnt wären, um das Studium des heiligen Buches der Wandlungen zu vollenden, so wollte ich es wohl dahin bringen, von großen Fehlern frei zu sein.« Dieses gewissenhafte Eindringen in das Ideal des Altertums, dieses Lernen, ohne zu ermüden, dieser Fleiß im höchsten Sinne ist es, was sein Genie ausmacht. Selbstverständlich handelt es sich nicht um eine nur äußerliche Aneignung des Wissensstoffs, sondern mit allen Fasern seines Wesens ist er dabei. Es wird von ihm erzählt, daß, wenn er seinen Blick senkte beim Essen, er in der Schüssel das Bild Yaus sah; und wenn er den Blick erhob, so erblickte er Schun an der Wand. Er selbst klagt einmal: »Ich bin sehr weit heruntergekommen, denn schon seit langer Zeit habe ich den Fürsten von Dschou nicht mehr im Traum gesehen.« Diese innere Verwandtschaft mit den alten Idealen gab ihm denn auch die Möglichkeit, das gesamte Wissen seiner Zeit sich anzueignen. Was vor ihm getrennte Gebiete waren, von Spezialisten gepflegt und in der Stille schulmäßig überliefert, das vereinigte er in sich zu einem einheitlichen Ganzen. So konnte es nicht fehlen, daß der Ruf seiner Gelehrsamkeit sich bald ausbreitete und daß sich bald Schüler aus allen Kreisen um ihn sammelten, die er in freiem, persönlichem Verkehr einführte in die Weisheit des Altertums. Das war etwas absolut Neues im damaligen China. Es gab wohl königliche Schulen zur Heranbildung der fürstlichen und adligen Söhne, aber eine private Vereinigung von Lernbegierigen um einen Lehrer hat es vor Kung nicht gegeben. Er freute sich der Freunde, die von fernen Gegenden kamen, und gab ihnen sein Bestes, anfangend mit den Riten und Prinzipien der Moral und vordringend – entsprechend der Begabung und dem Interesse der Zuhörer – zu den tieferen Prinzipien des Weltzusammenhangs, die er mehr esoterisch behandelte.

Aber das war mehr ein Nebenerfolg seines Strebens. Nicht eine Philosophenschule wollte er gründen, sondern das heilige Erbe, das er überkommen hatte, wollte er zur Wahrheit machen in der Welt. Dazu brauchte er einen Fürsten, der auf ihn hörte und geneigt war, seine Prinzipien praktisch durchzuführen. Daß diese Prinzipien imstande wären, die Welt zu erneuern, daran hat er keinen Augenblick gezweifelt. Aber entsprechend der gesamten Überlieferung kam ja das Heil von einem heiligen Fürsten. Ihm selbst war es vom Schicksal nicht vergönnt worden, einen Thron innezuhaben. Vielleicht aber durfte er hoffen, als Ratgeber wenigstens mit einem Herrn zusammen die beiden Seiten des Heiligen auf dem Thron zur Wahrheit zu machen. Hatte doch auch sein innig verehrtes Vorbild, der Fürst von Dschou, nicht selbst an der Spitze des Reiches gestanden, sondern nur als Berater seines Bruders, des Königs Wu, – und er hatte doch als Vormund von dessen Sohn so Herrliches vollbracht!

Diesem Interesse am Altertume kommt ein Erlebnis entgegen, das die große Wahrheit bestätigt, die uns Goethe mit plastischer Deutlichkeit offenbart: wie dem strebenden Menschen jederzeit vom Schicksal das geboten wird, was seinem Wesen entspricht und was er zu seiner Vervollkommnung braucht.

Als Reisebegleiter eines Zöglings, den sein Vater sterbend an ihn verwiesen hatte, hat er seine erste Reise in die alte Reichshauptstadt Lo (im heutigen Honan) gemacht, von der so manche Sagen überliefert sind. Wenn auch die alte Herrlichkeit der Dschoudynastie längst geschwunden war, so fand er sich doch hier noch in der Umgebung der Überreste jener großen Zeiten, deren Kenntnis er damals schon besaß wie kein Zweiter im Reich. Und so sehen wir ihn mit Eifer und Wißbegier alles in sich aufnehmen, was von der Gegenwart jener Helden und Weisen zeugte, mit denen er selbst in seinen Träumen verkehrte. Er wird wohl ausgelacht wegen seiner Lernbegier, aber er läßt sich nicht irremachen; jeden kleinsten Zug, der ihm aus jenen Zeiten entgegenkommt, eignet er sich an. Es ist einer jener denkwürdigen Augenblicke, da ein Menschheitsgenius mit den Resten der Vergangenheit in unmittelbare Berührung kommt und Fühlung sucht mit dem, was gewesen ist, um seinem eigenen Werk den Platz in der großen Menschheitsentwicklung anzuweisen. In jene Zeit wird auch die bekannte Begegnung mit Laotse verlegt, bei der er so wenig Lob von seinem älteren Kollegen geerntet haben soll. Die Erzählungen über das, was bei dieser Gelegenheit von den beiden chinesischen Weisen eigentlich gesprochen wurde, sind aber wohl durchweg apokryph. Sie tragen zu deutlich den Stempel taoistischer Erfindung, die dem Haupt der philosophischen Rivalenschule gerne etwas am Zeug flicken möchte, als daß sie für historisch unanfechtbar gelten könnten. (Vgl. Legge a. a. O. pag. 65; E. Chavannes, Mémoires historiques de Se-Ma Tsien, Paris 1905, Band V, pag. 300 f.)

Von der Hauptstadt des alten Reichs zurückgekehrt, widmete sich Kung aufs neue der Erziehung von Jüngern, die in immer größerer Zahl durch seinen Namen angezogen wurden. Kurz darauf verwickelten sich aber die politischen Verhältnisse in seinem Heimatlande. Einer der Hausbeamten der herrschenden Adelsfamilie hatte die Regierung an sich gerissen, und der Fürst des Landes war genötigt, in einem Nachbarstaate Zuflucht zu suchen. Um einer Anstellung, die vom Usurpator beabsichtigt war, zu entgehen, zog auch Kung es vor, seine Heimat zu verlassen. Sein Weg führte ihn nach Tsi, dem nordöstlichen Nachbarstaate. Dort hörte er zum erstenmal die aus dem hohen Altertum überlieferte Schau-Musik. Er wurde von ihrer Kraft und Reinheit so hingenommen, daß er drei Monate lang den »Geschmack des Fleisches« vergaß. Diese Begeisterungsfähigkeit und Vorliebe für Musik, die er sein ganzes Leben hatte, ist übrigens auch ein Beweis dafür, daß er keineswegs der pedantische Philister war, für den man ihn so häufig hält.

Kungs Name hatte in jener Zeit schon Klang genug, um es dem dortigen Fürsten wünschenswert erscheinen zu lassen, seine nähere Bekanntschaft zu machen. Er hat verschiedene interessante Unterredungen über Staatsangelegenheiten mit ihm geführt. Auch hatte er Lust, ihn in seinen Diensten zu verwenden. Die Sache scheiterte jedoch an den Gegenvorstellungen des Ministers Yën. Kung wollte auch die Politik auf ethische Grundlage gestellt wissen. Yën hielt das für Utopie; Tsi war damals die erste Militärmacht im Lande. So erkaltete dann allmählich das Verhältnis. Der Fürst ließ verlauten, er sei zu alt und könne sich nicht mehr mit Reformplänen abgeben. Man wollte den Weisen aus Lu mit einem Ehrentitel und ausreichendem Einkommen abfinden. Kung war jedoch nicht gewillt, eine solche Sinekure anzunehmen. Er verließ Tsi und kehrte um eine Erfahrung reicher in seine Heimat zurück.

Dort wurde er von den herrschenden Adelsfamilien lebhaft umworben; aber er widerstand allen Versuchungen, in ihre Dienste zu treten, und wartete ruhig, bis seine Zeit gekommen war. Endlich kam es wieder zu einigermaßen geordneten Verhältnissen. Der alte Fürst war gestorben, das Haupt der mächtigsten Lehnsfamilie war ihm im Tode nachgefolgt. Der neue Fürst, der zur Regierung gekommen war, suchte die Dienste seines berühmten Untertanen, indem er ihm zunächst einen Kreis zur Verwaltung übergab. Kung war damals 50 Jahre alt, und nun beginnt die kurze, aber glänzende Zeit, die wir als seine Meisterjahre bezeichnen können, jene Jahre, da er Gelegenheit bekam zu zeigen, was seine Prinzipien auf dem praktischen Gebiet der Staatsverwaltung zu leisten imstande waren. Es war eine glänzende Rechtfertigung. Es sind uns einzelne Züge aus seiner öffentlichen Wirksamkeit überliefert, die zeigen, mit welcher Umsicht und Energie er in unglaublich kurzer Frist in den verrotteten Verhältnissen, die er antraf, Wandel zu schaffen vermochte. Selbstverständlich tragen diese Überlieferungen in ihren Details legendarische Züge. Sie sind aber als Symptome für den Eindruck zu werten, den seine Wirksamkeit auf das Volksleben gemacht hat. Als er sein Amt antrat, herrschte Lug und Trug in Handel und Wandel. Das Verhältnis der Geschlechter war mehr als zweideutig, die Straßen waren unsicher. Nach drei Monaten war alles umgewandelt. Der Marktverkehr war musterhaft; all die kleinen Kniffe, womit man sonst die Waren täuschend herausgeputzt hatte, waren abgeschafft, die Beziehungen der Geschlechter waren geregelt, und das ging so weit, daß selbst auf den Straßen Männer und Frauen auf verschiedenen Seiten gingen – die Männer rechts, die Frauen links. Die Sicherheit des Verkehrs war so groß, daß niemand es wagte, verlorene Gegenstände für sich zu nehmen, sondern der Verlierer sie regelmäßig zurückerhielt. Auch die Verwaltungsangelegenheiten waren in bester Ordnung. Die Lasten der Steuern und Fronden waren der Leistungsfähigkeit ent-

sprechend verteilt. Die Toten wurden in allen Ehren bestattet, doch wurde verhindert, daß der Dienst der Toten auf den Lebenden laste. Aller unnötige Prunk bei Beerdigungen wurde vermieden, die Gräber durften nur auf unfruchtbaren Hügeln angelegt werden, keine Grabhügel wurden aufgeschüttet, keine Totenhaine nahmen dem Lebenden das Brot weg. In wenig Monaten war er soweit, daß, vom Ruf dieses Paradieses auf Erden angezogen, von allen Seiten die Bevölkerung herbeiströmte, um sich dort anzusiedeln, und die Fürsten der Umgegend sich bei Kung in Verwaltungsfragen Rats erholten. Wenn wir auch diese Legenden auf das Maß des Wahrscheinlichen reduzieren müssen, so war doch jedenfalls die Leistung Kungs so hervorragend, daß ihm sein Landesfürst einen Ministerposten übertrug: zuerst in der Verwaltung der öffentlichen Arbeiten, dann in der Justiz. Auch hier hatte er in kurzem glänzende Erfolge zu verzeichnen. Ein Schüler hat ihn einmal gefragt, worauf es in der Verwaltung eines Staates vorzüglich ankomme. Er antwortete: »Auf ein tüchtiges Heer, auf Wohlhabenheit des Volks und darauf, daß das Volk Vertrauen zu seinem Herrscher hat.« Der Schüler fragte weiter: »Wenn aber nicht alles zu erreichen ist, worauf kann man am ehesten verzichten?« »Auf das Heer«, war die Antwort. Als der Schüler noch weiter fragte, antwortete er: »Speise und Trank sind zum Leben notwendig, allein früher oder später muß doch jeder sterben; ohne Vertrauen aber ist es unmöglich, daß ein Staat auch nur einen Tag besteht.« Ein anderes Mal fragte ein Schüler beim Anblick einer zahlreichen Bevölkerung, was für sie getan werden müsse, um sie emporzubringen. »Bereichere sie«, sprach der Meister. »Und dann?« »Belehre sie.« Nach diesen Grundsätzen hat er sein Leben gestaltet. Er hat umfassende Anordnungen über die Ausnutzung des Ackerlandes getroffen und durch Versuche feststellen lassen, welche Pflanzen für die verschiedenen Bodenarten am geeignetsten seien.
Als Justizminister fängt er mit großer Energie an. Ein Vater verklagt seinen Sohn wegen Ungehorsams. Nun ist ja bekanntlich Pietät und Kindlichkeit das Grundprinzip in der Lehre des Konfuzius, und man hätte denken sollen, er werde den pietätlosen Sohn strenge bestrafen. Statt dessen nimmt

er Vater und Sohn in Haft, ohne sich mit dem Fall weiter zu beschäftigen. Darüber befragt, gibt er zur Auskunft, daß der Ungehorsam dieses Sohnes mindestens ebensosehr der Fehler des Vaters sei, der es an der nötigen Belehrung habe fehlen lassen. Und erst als der Vater von seiner Klage absteht, läßt er beide frei. Dieses Beispiel erläutert, wenn es auch einem modernen Juristen noch so bedenklich erscheinen mag, die großzügige Art seiner Justiz. Er behielt dabei fortwährend Fühlung mit dem Rechtsbewußtsein des Volks und hat es durch diese pädagogische Handhabung der Gesetze soweit gebracht, daß die schlechten Elemente sich verzogen und die guten zur Ordnung und Besinnung gebracht wurden.

Noch interessanter vielleicht ist die Art seiner diplomatischen Tätigkeit. In der inneren Politik war das größte Übel die Terrorisierung des Fürsten durch die drei vornehmen Adelsgeschlechter. Deren Macht stützte sich vornehmlich auf die befestigten Städte, die sie inne hatten und an deren Mauern alle Wünsche des Fürsten sich brachen. Kung hat in der kurzen Zeit seiner Amtstätigkeit die politischen Verhältnisse so umsichtig auszunutzen gewußt, daß jene Geschlechter sich herbeiließen, ihre Mauern selbst zu schleifen, wodurch natürlich das Ansehen des Fürsten sehr gesteigert wurde.

In ähnlicher Weise erprobt er sich in der äußeren Politik: in der berühmten Zusammenkunft der Fürsten von Lu und Tsi bei Gia Gu. Der Fürst von Tsi erschien umgeben von der barbarischen Leibwache der Leute aus Lai, um den Fürsten von Lu zu überrumpeln und unschädlich zu machen, da ja dessen Ratgeber ein Gelehrter sei, der nichts vom Kriege verstehe. Kung hat die Erwartungen der Feinde bitter enttäuscht, indem er bei der Abreise von dem ganz modernen Grundsatz ausging, daß, wie man im Krieg die Werke des Friedens vorbereiten müsse, so auch für die Erhaltung des Friedens der sicherste Weg sei, wenn man zum Krieg gerüstet ist. Auf seinen besonderen Rat nimmt der Fürst eine militärische Bedeckung mit. Es ist uns eine interessante Schilderung des Zusammentreffens erhalten. Der Empfang war frostig. Dreimal macht der Fürst von Tsi den Versuch, seinen Gegner, den Fürsten von Lu, aus dem Wege zu räumen. Erst läßt er verkleidete Soldaten unter den Tönen der wilden

Lai-Musik heranrücken, dann versucht er es mit Schauspielern, endlich sucht er ihn zu einem Gastmahl zu gewinnen, um seine Absichten bei dieser Gelegenheit zu verwirklichen. In allen drei Fällen sieht er sich in seiner Absicht von Kung erkannt, der mit Energie und teilweise unter persönlicher Lebensgefahr seinen Fürsten rettet und mit vollendeter Höflichkeit alle jene hinterlistigen Versuche zurückweist. Das Ergebnis dieser Zusammenkunft ist, daß der Fürst von Tsi dieser Überlegenheit gegenüber sich moralisch geschlagen fühlt und einige strittige Grenzgebiete an Lu herausgibt.

Aber lange sollte diese glänzende Zeit steigender Erfolge nicht dauern. Den Fürsten von Tsi ließen die Erfolge des Nachbarstaates nicht schlafen. Da er erkennen mußte, daß er dem staatsmännischen Geschick des Ministers nicht gewachsen war, so kam er auf eine andere Auskunft. Er sandte dem Fürsten von Lu eine Truppe von Schauspielerinnen zum Geschenk. Das wirkte. Der Fürst und seine Großen konnten sich diesen Genüssen nicht verschließen. Drei Tage wurde kein Hof gehalten, und alle Staatsgeschäfte ruhten, weil man dem Schauspiel zusah. Kung, der unbequeme Warner, wurde beiseite geschoben und auffällig vernachlässigt. Mit blutendem Herzen mußte er erkennen, daß seine Zeit vorüber sei. Er ging.

Und nun beginnen die späten Wanderjahre des Meisters. 13 Jahre lang ist er umhergezogen als Fremdling in den verschiedenen Staaten des damaligen China. Diese ganze Zeit lang suchte er nach Menschen, nach einem Menschen auf dem Thron, der Willensenergie und Beharrlichkeit genug besäße, gemeinsam mit ihm die Ideale der alten Zeit ins Leben einzuführen. Er hat vergebens gesucht. Zwar war er ein Mann von Ruf. Die Fürsten der Staaten, durch die er kam, sandten ihm meist Geschenke und waren gern bereit, mit ihm über dies und das zu reden. Aber weiter kam es nirgends. Hatte je ein Fürst im Sinn, ihn anzustellen, so fand sich sicher ein ungünstiger Beamter, eine lebensfrohe Favoritin, die es zu hintertreiben vermochten. »Ach, ich habe noch niemand gesehen, der die Wahrheit so liebt wie ein hübsches Gesicht!« ruft er einmal verzweifelt aus. Neben die Lauheit der Fürsten trat der Spott pessimistischer Philosophen, die fernab von dem Getriebe der Öffentlichkeit lebten und die ihn verhöhnten, daß er noch immer meine, die Welt könne gebessert werden. Verschiedenemal sieht er sich durch Mißverständnis oder Mißwollen in ernste Lebensgefahr gebracht. Einmal ist er am Verhungern, weil sämtliche Lebensmittel ausgegangen waren. Aber immer hält er sich aufrecht, und er läßt sich auch im tiefsten Unglück den Glauben an seine Bestimmung nicht nehmen. »Ich habe meinen Beruf vom Himmel, was können mir Menschen tun?« Mit diesem Wort tröstet er seine Jünger, als diese nach einem mißlungenen Anschlag auf sein Leben ihm erschreckt zur eiligen Flucht raten. Auf die Dauer konnte er sich dennoch dem Eindruck nicht verschließen, daß seine Zeit noch nicht gekommen sei. Vorübergehend hat er wohl den Gedanken erwogen, mit dem einen oder anderen energischen Aufrührer, die seine Dienste suchten, gemeinsame Sache zu machen und durch Umsturz des Alten die ideale Ordnung zu begründen. Auch wirft er einmal hin, daß er ins Ausland wolle – da in China kein Boden für seine Lehren sei –, um unter den Barbarenstämmen des Nordens und Ostens eine neue Kultur zu gründen. Mehr als flüchtige Gedanken sind diese Stimmungen nie bei ihm geworden; dazu war er innerlich zu fest mit der chinesischen Gesamtkulturentwicklung verbunden, als daß er die Möglichkeit gehabt hätte, ein derartiges Abenteuer zu wagen. Leicht ist ihm die Resignation aber nicht geworden. Er sieht die Not der Zeit, er weiß in sich die Kraft, ihr abzuhelfen, und dennoch fehlt ihm die Möglichkeit, diese Kraft zu entfalten. Da reift in ihm der große Verzicht. Was er während seines Lebens nicht erreichen konnte, das will er als Erbe der Zukunft überliefern. Deshalb steigt in ihm die Sehnsucht auf nach seinen Jüngern. Zu ihnen will er wieder heim, um ihre guten Eigenschaften durch seine Anwesenheit zu vervollkommnen und so in ihnen einen Stamm von Getreuen heranzuziehen, die geeignet wären, seine Lehren dereinst auf die Nachwelt zu bringen. In diesem Zusammenhange kann man auch das Wort verstehen, in dem er es als seinen Beruf ausspricht, zu beschreiben und nicht schöpferisch tätig zu sein, treu zu sein und das Altertum zu lieben. Endlich, nach langen Jahren in der Fremde, erreicht ihn der ehrenvolle Ruf, in die Heimat zurückzukehren, nachdem ein neuer Fürst dort auf den Thron gekommen war. Dort vollendete er das Werk, das er früher begonnen und an dem er auch auf seinen Wanderungen immer gearbeitet hatte, die Festigung und Ausbildung der Schüler, die sich um ihn gesammelt. Allmählich wurde es einsam um den alten Mann, seine Schüler traten in ihre Ämter ein, mehrere mußte er auch vor sich ins Grab sinken sehen, so den hoffnungsvollsten von allen, den einzigen, der ihn ganz verstanden hatte, seinen Liebling Yen Hui. Das hat ihm fast das Herz gebrochen und ging ihm näher als selbst der Tod seines Sohnes. Sein Leben erlosch im 72. Jahre nach viel Arbeit, viel Mühe und viel Enttäuschung, aber ohne daß er sich hätte verbittern oder an seinem Ziel irremachen lassen.

In den letzten Jahren nach seiner Rückkehr in die Heimat hat er dann noch das Werk zum Abschluß gebracht, das seinen Namen mit der chinesischen Kultur unauflöslich verbunden hat: die Herausgabe der heiligen Schriften. Um die Bedeutung dieser Arbeit zu verstehen, muß man sich klar machen, daß er wie kein anderer in den Geist der alten Kultur eingedrungen war. Er war sozusagen im Besitz der Pläne dieses hohen und erhabenen Hauses. Er hatte sein Leben lang versucht, die zerfallenen Trümmer an der Hand dieser Pläne vor dem Untergang zu retten. Es ist ihm nicht gelungen. Niemand unter den Herrschenden hat seine Dienste hierfür begehrt. So mußte er den andern Weg einschlagen: nachdem der alte Bau der chinesischen Kultur nicht mehr zu retten war, mußte man ihn dem Untergang überlassen. Was aber Kung vollbracht hat, das ist die Rettung der Baupläne dieser alten Kultur. Nach diesen Plänen konnte dann seinerzeit beim Erstehen eines neuen Herrschers aus den Ruinen des gesellschaftlichen Zusammenbruchs der Bau der chinesischen Kultur aufs neue errichtet werden.

Es ist ohne weiteres verständlich, daß es sich für ihn nicht darum handeln konnte, neue Lebensordnungen ausfindig zu machen, vielmehr kam es ihm nur darauf an, die vorhandenen auf spätere, bessere Zeiten zu retten. Wir dürfen daher erwarten, daß er nur die Lebensordnungen der Dschoudynastie mit neuem Leben erfüllte. Das trifft auch durchaus zu. In seinem eigenen Leben war er bestrebt, diesen Lehren nachzuleben. Er hat nichts gelehrt, das er nicht auch in seinem Leben zur Darstellung gebracht hat. Bis in die kleinsten Züge hinein ist sein Leben ein Kunstwerk; darin beruht die Macht seiner Ideen, daß sie nicht bloß Gedanken, sondern Wirklichkeit waren. Die Grundfrage für ihn war die Lösung des Problems: Was ist zu tun, damit das Zusammenleben der Menschen so gestaltet wird, daß es den großen Gesetzen der Weltordnung entspricht und dadurch zum Glück der Gesamtheit führt? Um zwei Brennpunkte bewegt sich dabei alles: die Kultur der Persönlichkeit und die Gesetze des sozialen Lebens. Um die Welt in Ordnung zu bringen, dazu braucht es durchgebildeter Persönlichkeiten an der maßgebenden Stelle. Nur der vornehme Charakter (gündsï, im Text mit: »der Edle« übersetzt) kann wirklich Menschen beherrschen. Das Grundgesetz dieses Charakters ist die Gewissenhaftigkeit (dschung), ein Begriff, den wir mit dem Kantschen Begriff der autonomen Sittlichkeit gleichsetzen dürfen, wenn auch zugegeben werden muß, daß die Form des Ausdrucks einen gewissen Anachronismus enthält. Das Verhältnis zu den andern Menschen ist »die freie Anerkennung ihrer Persönlichkeit, als eines dem eigenen Ich gleichgeordneten Selbstzwecks« (schu, das gewöhnlich fälschlicherweise mit Gegenseitigkeit übersetzt wird.)

Wie sehr Kung von allen eudämonistischen Begründungen entfernt war, geht aus der Stelle hervor, die sich in Lun Yü XV, 1 in Übereinstimmung mit Sï-ma Tsiëns Biographie Kungs findet. Als eines Tages auf der Wanderung infolge von Feindseligkeiten mächtiger Beamten die Lebensmittel so knapp wurden, daß die Begleiter vor Hunger krank wurden und nicht mehr imstande waren, sich zu erheben, da hielt sich Kung immer noch aufrecht, redete und las, spielte die Laute und sang, ohne sich niederschlagen zu lassen. Der Jünger Dsï Lu trat mit der Äußerung lebhaften Mißfallens vor ihn und sprach: »Muß der Weise auch in solches Unglück kommen?« Kungdsï antwortete: »Der Weise erträgt es mit Festigkeit, im Unglück zu sein, aber wenn ein gemeiner Mensch ins Unglück kommt, so kennt er keine Schranken mehr.« Dsï Lu errötete. Eine besonders charakteristische Parallelerzählung, die den zugrunde liegenden Gedanken noch deutlicher hervorhebt, findet sich bei dem Philosophen Sün dsï. Dsï Lu fragte, wie es möglich sei, daß der Meister in solches Unglück komme, vorausgesetzt, daß der Satz wahr sei, daß der Himmel den Tugendhaften durch Verleihung von Glück belohne und den Schlechten durch Verhängung von Unglück bestrafe. Kung antwortete: »Erstens dringen die Weisen nicht immer durch in der Welt. Die Geschichte hat das Andenken einer großen Zahl von Männern bewahrt, die durch ihre Tugend berühmt waren und dennoch ein tragisches Ende fanden. Das einzige, worüber der Mensch Meister ist, ist sein eigen Herz. Erfolg oder Mißerfolg hängt von den Umständen ab. Zweitens gibt es viele Fälle, in denen wir Menschen, die sich in verzweifelten Umständen befanden, späterhin zu der höchsten Bestimmung aufsteigen sehen. Man kann daher nicht sagen, daß äußeres Unglück immer ein Übel ist. Es ist häufig nur eine Probe, aus der der Charakter gestählt hervorgeht. Endlich haben die Zeitumstände, unter denen man lebt, einen großen Einfluß auf das Leben des Einzelnen. Wer unter einem weisen Herrscher zu den höchsten Ehren gelangt ist, würde vielleicht zum Tode verurteilt sein, wenn er am Hof eines Tyrannen gelebt hätte. Glück und Unglück sind daher in keiner Weise ein Maßstab für den inneren Wert eines Menschen.«

Beruht nun die eine Seite der konfuzianischen Ethik auf dem denkbar einfachsten Grundverhältnis der absoluten Verpflichtung des Sittengesetzes ohne alle Rücksicht auf äußere Belohnung oder Strafe, so ist auch für das soziale Zusammenleben der Menschen auf ein möglichst einfaches Grundverhältnis zurückgegriffen – die Familie. Innerhalb der Familie haben alle Beziehungen etwas Natürliches, da sie schon durch die Bande des Blutes gefestigt sind. Die Familie bildet für Kung sozusagen die Zelle, auf der sich der gesamte Staatsorganismus aufbaut. Die menschliche Gesellschaft setzt sich für Kung nicht zusammen aus einzelnen Individuen, die einander unterschiedslos gegenüberstehen und deren Beziehung höchstens durch utopische Theorien geregelt werden könnte. Er dagegen sieht in der menschlichen Gesellschaft einen fest gegliederten Organismus, in dem jedem Individuum seine bestimmte Stelle zugewiesen ist. Das ist der Sinn der berühmten fünf Beziehungen, die das sittliche Verhalten der Menschen zueinander regeln, der Beziehungen zwischen Vater und Sohn, Mann und Frau, älterem und jüngerem Bruder, Fürst und Beamten, Freund und Freund. Dementsprechend ist für die Ordnung des Zusammenlebens der Menschen in der Welt notwendig, daß zuerst die Familien in Ordnung kommen, auf Grund davon die Territorialstaaten und auf Grund davon endlich das Reich. Alles ist patriarchalisch gedacht, indem der Kaiser der Vater des Reiches ist, wie die Fürsten Landesväter sind und die einzelnen Bürger Familienväter. So rundet sich alles in wohldurchdachter Ordnung, und die so geeinigte Menschheit bildet mit Himmel und Erde zusammen die große Dreiheit der Grundprinzipien.

Jeder Geist braucht seinen Leib, ebenso braucht jede Gesinnung ihren adäquaten Ausdruck. Die Gesinnung der Ehrfurcht und Liebe, die allen diesen menschlichen Beziehungen zugrunde liegt, braucht ihre Form, durch die sie sich äußern kann. Diese rechte Form für die rechte Gesinnung, das chinesische »Li«, wird nicht in ihrer ganzen Tiefe erfaßt, wenn man darin nur Anstandsregeln oder äußere Zeremonien sieht. Diese Formen sind vielmehr moralisch bindend und geben die ästhetische Abrundung und Durchbildung des gesamten Lebens, sie sind Ausdruckskultur im höchsten Sinne des Wortes. Hand in Hand damit muß die Harmonie der gesamten Seelenstimmung gehen, denn nur ein tiefes und zugleich wohlgestimmtes Gemüt ist imstande, in all seinen Äußerungen Maß und Mitte zu treffen, ohne seine Grenzen zu überschreiten oder hinter dem Rechten zurückzubleiben. Diese Harmonie der Seelenstimmungen wird für Kung vorzugsweise erreicht durch die Pflege der Musik, die daher als Abschluß des gesamten Systems eine besonders große Bedeutung hat.

Sein Verhältnis zur Religion ist von dieser Betonung der ethischen Grundlagen des Menschenlebens aus zu verstehen. Er hat nicht die Absicht gehabt, an den überkommenen Religionsvorstellungen etwas zu ändern; er ist weit entfernt davon, der Skeptiker oder Agnostiker zu sein, den man unter Heranziehung einiger mißverstandener Stellen aus ihm hat machen wollen. Daß er mit Vorliebe statt des Ausdrucks Gott den Ausdruck »tiën« (Himmel) anwendet, hat seinen Grund darin, daß in jener Zeit der Ausdruck Gott oder höchster Herrscher in ziemlich weitgehendem Maß mißbraucht worden war. Er hat ein sehr starkes Bewußtsein seiner göttlichen Berufung gehabt, das in Zeiten höchster Not verschiedene Male zum Ausdruck kam. Vgl. Lun Yü Buch IX, 5: Als der Meister einst in Kuang in Lebensgefahr war, sprach er: »Ist nicht nach dem Tod des Königs Wen seine Kulturaufgabe mir zugefallen? Hätte der Himmel diese Kultur vernichten wollen, so hätte nicht ich, ein Sterblicher späterer Jahrhunderte, das Verständnis für diese Kultur erreicht. Wenn aber der Himmel diese Kultur nicht verlorengehen lassen will, was können dann die Leute von Kuang mir anhaben?« Zwar hat er nicht gerne über diese höchsten Probleme geredet, aus Furcht vor Profanierung; nur ganz gelegentlich erfahren wir ein Wort, das uns über den mystischen Zug des innersten Wesens, den er mit allen wahrhaft Großen gemein hat, Aufschluß gewährt. Vgl. Lun Yü XIV, 37: Der Meister sprach: »Ach es gibt niemand, der mich kennt!« Dsï Gung erwiderte: »Was heißt das, daß niemand den Meister kennt?« Der Meister sprach: »Ich murre nicht wider den Himmel und grolle den Menschen nicht; ich strebe nach Erkenntnis hier unten, doch dringe ich empor zu dem, was droben ist. Einer ist's, der mich kennt, der Himmel.« Wenn er so in einsamem Streben den Problemen der Gotteserkenntnis nachging, so ist klar, daß ihm der abergläubische Kult der Götter der Masse, geboren aus Furcht und Hoffnung, aufs tiefste zuwider sein mußte. Als ihm einmal jemand eine Frage in Beziehung auf Wirkung und Ranghöhe von Laren und Penaten vorlegte, da schnitt er die ganze Erörterung ab mit dem Wort: »Nicht also, sondern wer gegen den Himmel sündigt, der hat niemand, zu dem er beten kann.« Vgl. hierzu auch die Stelle Lun Yü II, 24.

Dennoch hat er den Ahnenkult, den er vorgefunden hat, nicht nur bestehen lassen, sondern zusammen mit den Begräbnisriten in den Bereich der höchsten Pflichten der Pietät mit aufgenommen. Es braucht aber kaum gesagt zu werden, daß dieser Ahnenkult von allen niederen animistischen Vorstellungen vollständig frei ist. Er hat es ausdrücklich abgelehnt, über die Beziehungen des Opfernden zum Jenseits eine definitive Behauptung aufzustellen, und hat einen Schüler, der ihn über das Schicksal der Verstorbenen fragte, aufs Leben zurückverwiesen, als das Gebiet, das man zuerst kennen müsse, ehe man sich Gedanken über das Jenseits zu machen brauche. Welchen Sinn hat nun aber der Ahnenkult im konfuzianischen System? Man kann im Zweifel sein, ob man ihn überhaupt zur Religion stellen will, oder ob man ihn nicht besser unter die ethischen Verpflichtungen einreiht. Wie wir gesehen haben, ist die kindliche Ehrfurcht gegenüber den Eltern eine in der menschlichen Natur begründete absolute Verpflichtung. Deswegen muß sie einen adäquaten Ausdruck finden, unabhängig von den zufälligen Verhältnissen des Objekts dieser Ehrfurcht. Ebenso wie ein Sohn auch unwürdigen Eltern gegenüber zu dieser Ehrfurcht verpflichtet ist, in welchem Falle die Ehrfurcht sich zwar verschieden äußern wird, aber dennoch als Gesinnung dieselbe bleibt, so ist der Ahnenkult das Mittel, dieser Ehrfurcht einen entsprechenden Ausdruck zu verschaffen, auch über den Tod der Eltern hinaus, und ein Band zu bilden, das Vergangenheit und Gegenwart innerhalb des Kulturkreises der Menschheit verbindet. Darum hat Kung auch immer wieder betont, daß nicht der äußere Prunk der Begräbnisriten und Ahnenopfer irgendwelchen Wert habe, sondern daß alles von der rechten Gesinnung abhänge. Mit derselben Innerlichkeit hat er auch das gesamte System der Riten und geheiligten gesellschaftlichen Beziehungen zu durchdringen gesucht. Auf Schritt und Tritt begegnen wir Äußerungen, in denen aller Wert auf die rechte Gesinnung gelegt wird und die äußere Form nur als das zweite, weniger wichtige bezeichnet wird. Nichts ist darum verkehrter, als aus der Gewissenhaftigkeit, mit welcher er auch die äußere Form beachtete, ihm den Vorwurf des leeren Formalismus zu machen.

Auf jeden Fall wird man anerkennen müssen, daß die Religion für Kung sozusagen einen ganz andern Ort im Seelenleben des Einzelnen und der Gesamtheit hat als im Christentum oder dem alttestamentlichen Prophetismus. Eine persönliche Beziehung des Einzelnen zu Gott als höchstes Streben liegt ihm vollkommen fern. Er bindet den Einzelnen durchaus an die diesseitige menschliche Gesellschaft. Und für diese Bindung benutzt er die Seelenkräfte, die anderwärts für die Religion frei wurden. Darum kann man wohl sagen, er hat der Religion, als der persönlichen Beziehung der Menschen zu Gott, die Kräfte entzogen und diese Kräfte dazu benutzt, um den Menschen an die Organisation der menschlichen Gesellschaft zu binden. An Stelle der Religion tritt für ihn die religiös betonte Pietät.

Aus dieser Stellung ergibt sich von selbst die wesentlich optimistische Beurteilung des Wesens des Menschen. Wo der Mensch in Beziehung tritt zum Unendlichen, zu Gott, erwacht als Reflex das Bewußtsein des Unzureichenden, der Sünde. Wo dagegen der Blick auf das Diesseits beschränkt bleibt, kann von »Sünde« im religiösen Sinn nicht die Rede sein. So ist denn auch für Kung der Begriff der Sünde etwas Fremdes. Der Mensch ist von Natur gut, und es liegt in der Hand jedes Einzelnen, durch einfachen Willensentschluß die Anlagen seines Wesens zur Entfaltung zu bringen. Alles Nichtgute und Schlechte ist nur ein Stehenbleiben der Entwicklung und kann durch vermehrte Kraftanstrengung überwunden werden. Daher steht er auch der Vergangenheit durchaus positiv gegenüber. Alles, was die Menschheit braucht zu einem Paradies auf Erden, ist in den Prinzipien der heiligen Könige des Altertums schon vorhanden; daher nirgends der Gedanke bei ihm, daß ein neuer Anfang, eine Weiterentwicklung und Überwindung des Vergangenen notwendig sei. Alle Mißstände der Zeit, die er in seinem eigenen Leben zur Genüge kennengelernt hat, sind zu überwinden durch Reform. Auch in diesen Anschauungen liegt letzten Endes eine große Wahrheit. Aber was sozusagen auf der höchsten Stufe idealer Geschichtsbetrachtung seine Berechtigung hat, gewinnt doch ein ganz wesentlich anderes Gesicht mitten im Kampf und Streit der Entwicklung. Wenn wir uns daher fragen: Was hat Kung erreicht? – so darf nicht verschwiegen werden, daß gerade diese optimistische Grundauffassung verschiedene Mißerfolge zu verzeichnen hat.

Schon im Leben Kungs hat sich das deutlich gezeigt. Seine starke und reine Persönlichkeit hat allerdings auf die ihm

Nahestehenden einen bleibenden Eindruck gemacht und ihm ein unauslöschliches Recht verschafft in der Geschichte der Menschheit. Aber den Gang der Ereignisse im ganzen konnte er nicht aufhalten, es fand sich kein Platz für ihn, von wo er seine Zeit hätte umgestalten können. Schritt für Schritt mußte er zurückweichen in seinen Hoffnungen, und es läßt sich nicht leugnen, daß er schließlich in einer gewissen Schwermut gestorben ist. Auch nach seinem Tod gingen die Dinge ihren Gang unaufhaltsam weiter, es kam alles, wie es kommen mußte; noch jahrhundertelang dauerte der Verfall der alternden Dschoudynastie, und nicht Kung und seine Lehren haben China umgestaltet und die auseinanderfallenden Einzelgebiete wieder vereinigt, sondern ein rücksichtsloser Real-Politiker von der Art Napoleons, der in allen Stücken ungefähr das Gegenteil war von dem, was Kung sich unter einem idealen Fürsten dachte: der berühmte Tsin Schï Huang Ti. Der hat mit militärischer Gewalt die Lehensfürsten beseitigt und aus China einen bureaukratischen Beamtenstaat mit absoluter Monarchie gemacht. Und damit hat er – und nicht Kung – der äußeren Gestalt des chinesischen Staates bis in die neueste Zeit sein Siegel aufgedrückt. Das Staatsideal Kungs deckt sich durchaus mit dem Lehensstaat auf der Grundlage der Familienverwandtschaft, wie ihn die Dschoudynastie geschaffen hatte. Dieses Staatsideal ist nicht mehr zur Wirklichkeit geworden, die Geschichte schlug andere Bahnen ein, auch die späteren Dynastien haben daran nichts mehr geändert. Auch eine Reihe seiner sonstigen Anregungen, namentlich auf ethisch-ästhetischem Gebiet, sind nicht durchgedrungen. So ist besonders die Musik, auf deren Einfluß zur Erziehung des harmonisch gestimmten Seelengrundes er große Stücke hielt, in den Stürmen und Umwälzungen der kommenden Jahrhunderte verlorengegangen.

Fragen wir uns zum Schluß, was Kung Dauerndes geschaffen hat, so ist wichtiger als alle kunstvoll verschlungenen Linien seines Gedankengebäudes das persönliche Moment, das uns in ihm entgegentritt. Kurz gesagt: Es ist die Souveränität der sittlichen Persönlichkeit, die uns an ihm imponiert. Diese Unabhängigkeit von allen äußeren Gesichtspunkten wie Lohn und Strafe, die ruhige Klarheit, die sich von allem Abergläubischen und Verzerrten besonnen zurückhält, diese Energie des Forschens, die unermüdlich einzudringen sucht in die Wahrheiten des Lebens, diese abgerundete Einheit, die konsequent der inneren Gesinnung in allen Äußerungen den rechten Ausdruck zu geben sucht – das alles sind Momente, die ihn über seine Zeit wie überhaupt jedes zeitlich beschränkte Niveau emporheben und seinem Beispiel Kraft verleihen. Kung ist eine Natur, die unserem Kant in vielen Stücken wesensverwandt ist, soweit man einen praktischen Politiker mit einem wissenschaftlichen Forscher überhaupt vergleichen kann. Dieses Vorbild hat denn auch immer wieder in der chinesischen Geschichte seine Nachahmer gefunden, die charaktervoll und unentwegt im Strudel der Ereignisse dastanden und auch unter ungünstigen Verhältnissen den Mut zur energischen Vertretung der Wahrheit und Gerechtigkeit fanden. Aber auch unter den Grundsätzen, die er für das Zusammenleben der Menschen aufgestellt hat, sind manche, die bis auf den heutigen Tag noch nicht Allgemeingut geworden sind, so der Grundsatz, daß sich Menschen dauernd nur beherrschen lassen durch die Macht einer sittlich ausgebildeten Persönlichkeit, nicht durch äußeren Zwang der Gesetze. Dem zur Seite der andere Grundsatz, daß die gesamte staatliche Ordnung auf natürlichen Grundtatsachen des menschlichen Wesens beruhen muß. Die sittliche Grundlage der gesamten Politik wird trotz allen Schwierigkeiten und der temporären Unmöglichkeit ihrer Durchführung so lange als ein forderndes Ideal vor der menschlichen Gesellschaft stehen, bis sie auf irgendwelche Weise ihren wahrheitsgemäßen Ausdruck gefunden hat.

DAS ALTER DER LUN YÜ

Die Gespräche des Kung Fu Dsï oder Lun Yü stammen in ihrer heutigen Gestalt – abgesehen von einigen späteren Textvarianten – aus der Hand des Dsong Hüan, der von 127–200 n. Chr. lebte. Für seine Redaktion des Textes lagen ihm drei Quellen vor. Die eine stammte aus dem Staate Lu. Sie enthielt – ebenso wie die heutige Ausgabe – zwanzig

Bücher. Liu Hiang, der im ersten Jahrhundert v. Chr. im Auftrag des Kaiserlichen Hofes die alten, neu ans Tageslicht gekommenen Bücher zu begutachten hatte, sagt über diese Quelle, deren Überlieferer im ersten vorchristlichen Jahrhundert er namentlich aufführt, daß sie lauter gute Worte des Meisters Kung enthalte, die seine Schüler im Gedächtnis behalten haben. Die zweite Quelle waren die Lun Yü aus dem Staate Tsi, für deren Überlieferung ebenfalls eine Reihe von Namen angegeben werden. Sie enthielten zweiundzwanzig Bücher und waren, wie es scheint, wesentlich ausführlicher als die Quelle von Lu. Sie scheinen jedoch eine spätere Traditionsschicht darzustellen. Wir können uns eine ungefähre Vorstellung davon machen, wenn die Tradition richtig ist, daß das sechzehnte Buch im wesentlichen aus der Rezension von Tsi stammt. Die einzelnen Worte sind nicht eingeleitet mit dem Satz »Der Meister sprach«, sondern mit »Meister Kung sprach«. Alle diese Abschnitte, die sich übrigens nicht nur im sechzehnten Buch finden, zeigen deutliche stilistische Verschiedenheiten. Wo es sich um Gespräche handelt, ist die Situation mehr ausgemalt. Die Worte selbst sind sprachlich glatter. Mehrere Worte sind häufig zusammengefaßt und unter Zahlenreihen subsumiert. Es sind zu manchen dieser zusammengefaßten Äußerungen die einzelnen Bestandteile noch getrennt vorhanden. Alles in allem ist der Befund der Tsi-Rezension so, daß man es nur billigen kann, daß sie bei der endgültigen Redaktion erst in untergeordneter Linie berücksichtigt worden ist. Nun gibt es noch eine Quelle, die auf den ersten Blick das meiste Zutrauen zu verdienen scheint: die sogenannten »alten Lun Yü«. Als nämlich im Jahre 150 v. Chr. der damalige Fürst von Lu seinen Palast erweitern wollte, beabsichtigte er zu diesem Zweck das noch erhaltene Wohnhaus Kungs abreißen zu lassen. Allein eine wunderbare Musik ertönte, die ihn so erschreckte, daß er von dem Vorhaben abstand. In einer der Mauern aber fand sich ein Exemplar des Buchs der Urkunden (Schu Ging), der Gespräche (Lun Yü) und des Buchs von der Ehrfurcht (Hiau Ging). Diese Werke waren in alten kaulquappenähnlichen Zeichen geschrieben, die kein Mensch lesen konnte, bis sie ein Nachkomme des Meisters, der Gelehrte Kung An Guo, entzifferte und herausgab. Diese Ausgabe schloß sich im allgemeinen an die Rezension von Lu an.

Merkwürdigerweise blieb diese Entdeckung gänzlich unbeachtet. Es dauerte Jahrhunderte, ehe sich ein chinesischer Gelehrter darauf einließ. Erst Ma Ying, der Lehrer des Dsong Hüan, hat die alten Lun Yü wieder aufgenommen. Nun hat ja die Art der Auffindung, die sehr stark an den Fund des Deuteronomiums in Jerusalem erinnert, etwas an sich, das einen gewissen Verdacht nahelegt. Auch mit den »Kaulquappenzeichen« hat es eine eigene Bewandtnis. Die alte chinesische Schrift, wie sie uns auf Orakelknochen, Bronzen und den Steintrommeln in Peking zugänglich ist, hat keineswegs die Form von Kaulquappen. Vielleicht ist die Bezeichnung Kaulquappenzeichen ein Ausdruck, der ursprünglich überhaupt nicht chinesische Zeichen meinte, sondern Keilschriftzeichen, die auf irgendeine Weise nach China gekommen sein mögen. Auch ist recht schwer glaublich, daß die alte Schrift, die bis zur Zeit Tsin Schï Huangs im Gebrauch war, in der kurzen Spanne von einem halben Jahrhundert gänzlich unlesbar geworden sein sollte. Da es sich aber in den alten Lun Yü um eine Rezension handelt, die mit der Rezension von Lu ziemlich übereinstimmte, so können wir die Frage auf sich beruhen lassen, obwohl es natürlich sehr wertvoll wäre, wenn man eine bezeugte Spur des Vorhandenseins einer schriftlichen Sammlung von der Tsindynastie besäße, da die Bezeugung der Quelle von Lu nicht über die Handynastie hinaufgeht.

Was nun die Abfassung eines Werkes mit Namen Lun Yü »Gespräche des Meisters« anlangt, so sind wir imstande, die Tradition, nach der das Werk von den Schülern des Meisters nach dessen Tode niedergeschrieben sei, positiv zu widerlegen. Nicht nur findet sich in unseren Lun Yü eine Stelle (Buch VIII, 3 und 4), wo der Tod des Schülers Dsong Schen berichtet wird und ein Beamter (Mong Ging) mit seinem posthumen Namen genannt wird, der fünfzig Jahre nach Kungs Tod noch lebte, – das ganze Buch XIX enthält keinen einzigen Ausspruch von Kung, sondern führt unzweideutig in die Zustände der Schulen ein, die seine Jünger nach seinem Tode gegründet. Aber auch die Auskunft, daß die Schüler der Schüler die Lun Yü niedergeschrieben haben, ist unhaltbar.

Man wird sich die Sache wohl so vorzustellen haben, daß Worte des Meisters sich durch mündliche Tradition Generationen lang fortgepflanzt haben, ohne schriftlich gesammelt zu werden. Man macht sich von der Kraft und Treue mündlicher Traditionen im allgemeinen in Europa wenig Begriff, wogegen in China sich das Auswendiglernen großer Texte bis in die neueste Zeit erhalten hat. Wir finden einzelne in den Lun Yü enthaltene Worte in der späteren Literatur bis herab auf Mong Dsï zitiert. Aber die Art des Zitierens läßt erkennen, daß kein geschlossenes Werk mit dem Titel Lun Yü vorlag. Die Worte werden als Worte Kungs zitiert, ohne eine schriftliche Quelle zu nennen. Ganz in derselben Weise werden andere Worte, die sich in Lun Yü nicht finden, als Worte des Meisters erwähnt. Auf der andern Seite wird in Mong Dsï ein Wort, das in Lun Yü als vom Meister gesprochen steht, dem Mong Dsï zugeschrieben. Kurz, man kann mit Sicherheit behaupten, daß zur Zeit des Mong Dsï die Lun Yü noch nicht bestanden. Viel wahrscheinlicher ist es, daß sie erst im Anschluß an das Werk des Mong Dsï entstanden sind. Nachdem die Gespräche des Mong Dsï von seinen Schülern aufgezeichnet vorlagen, lag der Gedanke nah, auch eine ähnliche Sammlung der Gespräche Kungs herauszugeben. An Material teils mündlicher Tradition, teils in andern Werken vorhanden, fehlte es nicht. Ja, wir haben noch heute außer den Lun Yü so viele Äußerungen Kungs verzeichnet, daß daraus noch im neunzehnten Jahrhundert eine sehr interessante Sammlung konfuzianischer Gespräche unter dem Titel »Kung Dsï Dsï Yü«, die in einer Sammlung von philosophischen Werken erschien, sich hat zusammenstellen lassen.

Daß die Lun Yü nicht zu den alten Werken chinesischer Literatur gehören, beweist auch der Umstand, daß sie nicht unter den fünf Klassikern (Ging) stehen, sondern unter den erst in neuerer Zeit als Schriften zweiten Ranges rezipierten vier Schriften (Schu). Wir werden daher bei aller Anerkennung dessen, daß sie gutes, zuverlässiges Material enthalten, zu dem Schluß kommen müssen, daß sie ihre heutige Gestalt erst in der Handynastie erhalten haben.

Der wortgetreuen Übersetzung folgt in manchen Fällen, wenn sich der genaue Sinn durch Anmerkungen allein nicht erläutern läßt, eine freie Umschreibung.

BUCH I

1

GLÜCK IN DER BESCHRÄNKUNG

Der Meister sprach: »Lernen und fortwährend üben: Ist das denn nicht auch befriedigend? Freunde haben, die aus fernen Gegenden kommen: Ist das nicht auch fröhlich?
Wenn die Menschen einen nicht erkennen, doch nicht murren: Ist das nicht auch edel?«

Das Glück besteht in der Möglichkeit, seine Prinzipien durchführen zu können. Aber das hängt nicht von uns ab. Es gibt aber auch ein Glück für den, dem das alles versagt ist. Das Erbe der Vergangenheit sich anzueignen und es ausübend zu besitzen: das gewährt auch Befriedigung. Wenn dann der wachsende Ruhm aus fernen Gegenden Jünger herbeiführt: das ist auch Freude. Von der Welt sich verkannt zu sehen, ohne sich verbittern zu lassen: das ist auch Seelengröße.

2

EHRFURCHT ALS GRUNDLAGE
DER STAATLICHEN ORDNUNG

Meister Yu* sprach: »Daß jemand, der als Mensch pietätvoll und gehorsam ist, doch es liebt, seinen Oberen zu widerstreben, ist selten. Daß jemand, der es nicht liebt, seinen Oberen zu widerstreben, Aufruhr macht, ist noch nie dagewesen. Der Edle pflegt die Wurzel; steht die Wurzel fest, so wächst der Weg. Pietät und Gehorsam: das sind die Wurzeln des Menschentums.«

* Yu Jo, ein direkter Schüler und Landsmann Kungs. Nur von ihm und dem Schüler Dsong Schen wird in Lun Yü als »Meister« gesprochen.

3

DER SCHEIN TRÜGT

Der Meister sprach: »Glatte Worte und einschmeichelnde Mienen sind selten vereint mit Sittlichkeit.«

TÄGLICHE SELBSTPRÜFUNG

Meister Dsong* sprach: »Ich prüfe täglich dreifach mein Selbst: Ob ich, für andere sinnend, es etwa nicht aus innerstem Herzen getan; ob ich, mit Freunden verkehrend, etwa meinem Worte nicht treu war; ob ich meine Lehren etwa nicht geübt habe.«

* Vgl. Anm. zu I, 2.

5

REGENTENSPIEGEL

Der Meister sprach: »Bei der Leitung eines Staates von 1000 Kriegswagen muß man die Geschäfte achten und wahr sein, sparsam verbrauchen und die Menschen lieben, das Volk benutzen entsprechend der Zeit.«*

* Dem Kaiser des ganzen Reichs unterstanden zusammen 10 000 Kriegswagen. Je eine Stadt hatte einen Kriegswagen zu stellen, ein Staat mit 1000 Kriegswagen hatte daher 1000 Städte und gehörte zu den größten Staaten in der damaligen Welt des Ostens. Die Untertanen hatten Frondienste zu leisten für den Bau von Wällen, Wegen usw. Dabei sollte der Einzelne nicht länger als drei Tage herangezogen werden, und zwar zu einer Zeit, da die Arbeiten des Landbaus nicht beeinträchtigt wurden.

6

MORALISCHE UND
ÄSTHETISCHE BILDUNG DER JUGEND

Der Meister sprach: »Ein Jüngling soll nach innen kindesliebend, nach außen bruderliebend sein, pünktlich und wahr, seine Liebe überfließen lassend auf alle und eng verbunden mit den Sittlichen. Wenn er so wandelt und übrige Kraft hat, so mag er sie anwenden zur Erlernung der Künste.«

Die Jugenderziehung muß im engsten Familienkreise einsetzen durch Pflege der Ehrfurcht den Eltern gegenüber. Diese Ehrfurcht hat sich dann allmählich auszudehnen und zu erweitern in ein bescheidenes Betragen gegenüber erfahrenen und älteren Persönlichkeiten. Die wichtigsten Eigenschaften bei der Ausbildung des persönlichen Charakters sind Pünktlichkeit und Zuverlässigkeit. Im Verkehr mit anderen ist auf eine arglose, freie Sympathie mit allen

*Menschen Gewicht zu legen, während der intime Anschluß auf
Leute von moralischer Haltung sich zu beschränken hat. Auf dieser
Grundlage sittlicher Erziehung mag sich bei besonderer Begabung
höhere wissenschaftliche und ästhetische Bildung aufbauen.*

7
WER IST GEBILDET?

Dsï Hia sprach: »Wer die Würdigen würdigt, so daß er sein
Betragen ändert, wer Vater und Mutter dient, so daß er dabei
seine ganze Kraft aufbietet, wer dem Fürsten dient, so daß
er seine Person drangibt, wer im Verkehr mit Freunden so
redet, daß er zu seinem Worte steht: Wenn es von einem solchen heißt, er habe noch keine Bildung, so glaube ich doch fest,
daß er Bildung hat.«

8
KULTUR DER PERSÖNLICHKEIT

Der Meister sprach: »Ist der Edle nicht gesetzt, so scheut man
ihn nicht. Was das Lernen betrifft, so sei nicht beschränkt.
Halte dich eng an die Gewissenhaften und Treuen. Mache
Treu und Glauben zur Hauptsache. Habe keinen Freund, der
dir nicht gleich ist. Hast du Fehler, scheue dich nicht, sie zu
verbessern.«

9
PFLEGE DER VERGANGENHEIT
ALS REGIERUNGSGRUNDSATZ

Meister Dsong sprach: »Gewissenhaftigkeit gegen die Voll-
endeten* und Nachfolge der Dahingegangenen: so wendet
sich des Volkes Art zur Hochherzigkeit.«

* Nach den chinesischen Kommentaren ist damit gemeint die Sorge für die Beerdigungsbräuche, und mit der »Nachfolge« der Dahingegangenen der regelrechte
Vollzug der Ahnenopfer. Der zugrundeliegende Gedanke ist, daß eine wirkliche
Kultur nur dadurch bestehen kann, daß sie ihre Wurzel im Erbe der Väter nicht
preisgibt.

10
DIE RECHTE ART, VON
ANDEREN AUFSCHLUSS ZU ERLANGEN

Dsï Kin fragte den Dsï Gung und sprach: »Wenn der Meister in irgendein Land kommt, so erfährt er sicher seine Regierungsart: Bittet er oder wird es ihm entgegengebracht?« Dsï Gung sprach: »Der Meister ist milde, einfach, ehrerbietig, mäßig und nachgiebig: dadurch erreicht er es. Des Meisters Art zu bitten: ist sie nicht verschieden von andrer Menschen Art zu bitten?«

11
MERKMALE DER PIETÄT

Der Meister sprach: »Ist der Vater am Leben, so schaue auf seinen Willen. Ist der Vater nicht mehr, so schaue auf seinen Wandel. Drei Jahre lang nicht ändern des Vaters Weg: das kann kindesliebend heißen.«

12
FREIHEIT UND FORM

Meister Yu sprach: »Bei der Ausübung der Formen ist die (innere) Harmonie die Hauptsache. Der alten Könige Pfad ist dadurch so schön, daß sie im Kleinen und Großen sich danach richteten. Dennoch gibt es Punkte, wo es nicht geht. Die Harmonie kennen, ohne daß die Harmonie durch die Form geregelt wird: das geht auch nicht.«

13
VORTEIL DER ZURÜCKHALTUNG

Meister Yu sprach: »Abmachungen müssen sich an die Gerechtigkeit halten, dann kann man sein Versprechen erfüllen. Ehrenbezeugungen müssen sich nach den Regeln richten, dann bleibt Schande und Beschämung fern. Beim Anschluß an andre werfe man seine Zuneigung nicht weg, so kann man verbunden bleiben.«

Der Meister sprach: »Ein Edler, der beim Essen nicht nach Sättigung fragt, beim Wohnen nicht nach Bequemlichkeit fragt, eifrig im Tun und vorsichtig im Reden, sich denen, die Grundsätze haben, naht, um sich zu bessern: der kann ein das Lernen Liebender genannt werden.«

Dsï Gung sprach: »Arm ohne zu schmeicheln, reich ohne hochmütig zu sein: wie ist das?«

Der Meister sprach: »Es geht an, kommt aber noch nicht dem gleich: arm und doch fröhlich sein, reich und doch die Regeln lieben.«

Dsï Gung sprach: »Ein Lied sagt:

> Erst geschnitten, dann gefeilt,
> Erst gehauen, dann geglättet.

Damit ist wohl eben das gemeint?«

Der Meister sprach: »Sï, anfangen kann man, mit ihm über die Lieder zu reden. Sagt man die Folgerung, so kann er den Grund finden.«*

* Ein Kabinettstück aus dem Umgang Kungs mit seinen Schülern. Das Wort des Dsï Gung bezieht sich auf sein eigenes Leben: er war arm gewesen, ohne schmeichlerisch zu sein, und war reich geworden, ohne hochmütig zu sein. Dafür will er sich vom Meister eine gute Zensur holen. Der aber durchschaut ihn und hält ihm sofort ein höheres Ideal vor für weiteres Streben. Dsï Gung aber zeigt sich darin als des Meisters würdiger Schüler, daß er sofort auf dessen Gedanken eingeht und ihn mit einer Stelle aus der »Schrift« belegt. Darüber freut sich dann der Meister, und nun erteilt er ihm ein aufrichtiges Lob.

Der Meister sprach: »Nicht kümmere ich mich, daß die Menschen mich nicht kennen. Ich kümmere mich, daß ich die Menschen nicht kenne.«

BUCH II

1
DER POLARSTERN

Der Meister sprach: »Wer kraft seines Wesens* herrscht, gleicht dem Nordstern. Der verweilt an seinem Ort und alle Sterne umkreisen ihn.«

* Das chinesische Wort de, das in der Regel mit »Tugend« übersetzt wird, hat in Wirklichkeit eine weit umfassendere Bedeutung. Die chinesischen Kommentare erklären es: Was die Wesen erhalten, um zu entstehen, zu leben, heißt »de«. Es schließt das ganze Wesen der Persönlichkeit und die Macht, die von einer Person ausgeht, mit ein.

2
KEINE UNREINEN GEDANKEN

Der Meister sprach: »Des Liederbuchs* dreihundert Stücke sind in dem einen Wort befaßt: Denke nicht Arges!«

* D. h. des »Schī Ging«.

3
GESETZ UND GEIST
BEI DER STAATSREGIERUNG

Der Meister sprach: »Wenn man durch Erlasse leitet und durch Strafen ordnet, so weicht das Volk aus und hat kein Gewissen. Wenn man durch Kraft des Wesens leitet und durch Sitte ordnet, so hat das Volk Gewissen und erreicht (das Gute).«

4
STUFEN DER
ENTWICKLUNG DES MEISTERS

Der Meister sprach: »Ich war fünfzehn, und mein Wille stand aufs Lernen, mit dreißig stand ich fest, mit vierzig hatte ich keine Zweifel mehr, mit fünfzig war mir das Gesetz des Himmels kund, mit sechzig war mein Ohr aufgetan, mit siebzig konnte ich meines Herzens Wünschen folgen, ohne das Maß zu übertreten.«

5

ÜBER KINDESPFLICHT

I: NICHT ÜBERTRETEN

Der Freiherr Mong I fragte nach (dem Wesen) der Kindespflicht. Der Meister sprach: »Nicht übertreten.« Als Fan Tschï hernach seinen Wagen lenkte, erzählte es ihm der Meister und sprach: »Freiherr Mong J befragte mich über die Kindespflicht und ich sprach: Nicht übertreten.« Fan Tschï sprach: »Was heißt das?« Der Meister sprach: »Sind die Eltern am Leben, ihnen dienen, wie es sich ziemt, nach ihrem Tod sie beerdigen, wie es sich ziemt, und ihnen opfern, wie es sich ziemt.«*

* Auch hier ein Beispiel für die Methode Kungs. Er sucht durch seine Antwort immer den Fragenden zum Denken anzuregen. Bei dem vornehmen Mong J ist ihm das nicht gelungen. Der zog sich mit der halbverstandenen Antwort zurück, ohne weiter zu fragen. So muß der Meister einen indirekten Weg gehen, indem er Frage und Antwort seinem Schüler Fan Tschï erzählt. Der geht auf seine Intention ein und fragt weiter, so daß der Meister seine Erklärung anbringen kann. Da Fan Tschï mit Mong J bekannt war, so war es sicher, daß die Antwort an ihre rechte Adresse kam.

6

ÜBER KINDESPFLICHT

II: KRANKHEIT

Der Freiherr Mong Wu fragte nach (dem Wesen) der Kindespflicht. Der Meister sprach: »Man soll den Eltern außer durch Erkrankung keinen Kummer machen.«

7

ÜBER KINDESPFLICHT

III: EHREN, NICHT BLOSS NÄHREN

Dsï Yu fragte nach (dem Wesen) der Kindespflicht. Der Meister sprach: »Heutzutage kindesliebend sein, das heißt (seine

Eltern) ernähren können. Aber Ernährung können alle Wesen bis auf Hunde und Pferde herunter haben. Ohne Ehrerbietung: was ist da für ein Unterschied?«

8

ÜBER KINDESPFLICHT

IV: BETRAGEN

Dsï Hia fragte nach (dem Wesen) der Kindespflicht. Der Meister sprach: »Der Gesichtsausdruck ist schwierig. Wenn Arbeit da ist und die Jugend ihre Mühen auf sich nimmt; wenn Essen und Trinken da ist, den Älteren den Vortritt lassen: kann man denn das schon für kindesliebend halten?«

Der Jünger Dsï Hia fragte nach dem Wesen der Kindespflicht. Der Meister antwortete: »Die Schwierigkeit bei ihrer Erfüllung besteht in einem fortdauernd rücksichtsvollen und freundlichen Betragen, daß man es vermeidet, sich im Laufe der Jahre in seinen Manieren den Eltern gegenüber gehen zu lassen. Was man sonst unter der Erfüllung der Kindespflicht versteht, daß die Kinder die Mühen der Arbeit für ihre Eltern auf sich nehmen, daß sie ihnen ihren Besitz zur Verfügung stellen und für ihren Lebensunterhalt sorgen: das alles sind nur die selbstverständlichen Voraussetzungen.«

9

MERKMAL DES VERSTÄNDNISSES

Der Meister sprach: »Ich redete mit Hui* den ganzen Tag; der erwiderte nichts, wie ein Tor. Er zog sich zurück und ich beobachtete ihn beim Alleinsein, da war er imstande, (meine Lehren) zu entwickeln. Hui, der ist kein Tor.«

* Der Lieblingsjünger Kungs, der seine Ahnentafel im Konfuziustempel dem Meister zunächst hat.

10

MENSCHENKENNTNIS:

WORAUF MAN SEHEN MUSS

Der Meister sprach: »Sieh, was einer wirkt, schau, wovon er bestimmt wird, forsche, wo er Befriedigung findet: wie kann ein Mensch da entwischen? Wie kann ein Mensch da entwischen?«

Der Meister sprach: »Das Alte üben und das Neue kennen: dann kann man als Lehrer gelten.«

12
DER EDLE
I: SELBSTZWECK

Der Meister sprach: »Der Edle ist kein Gerät.«

Es ist unvereinbar mit der Würde des höheren Menschen, sich als bloßes Werkzeug für die Zwecke andrer gebrauchen zu lassen. Er ist Selbstzweck.

13
DER EDLE
II: WORTE UND TATEN

Dsï Gung fragte nach dem (Wesen des) Edlen. Der Meister sprach: »Erst handeln und dann mit seinen Worten sich danach richten.«

Als Dsï Gung den Meister fragte, welcher Zug am bezeichnendsten für einen vornehmen Charakter sei, antwortete dieser: daß einer seine Prinzipien erst selbst praktisch zur Ausführung bringt, bevor er sie lehrhaft entwickelt.

14
DER EDLE
III: UNIVERSALITÄT

Der Meister sprach: »Der Edle ist vollkommen und nicht engherzig. Der Gemeine ist engherzig und nicht vollkommen.«

15
LERNEN UND DENKEN

Der Meister sprach: »Lernen und nicht denken ist nichtig. Denken und nicht lernen ist ermüdend.«*

* Vgl. Kant: Erfahrung ohne Begriffe ist blind, Begriffe ohne Erfahrung sind leer.

16
IRRLEHREN

Der Meister sprach: »Irrlehren anzugreifen, das schadet nur.«

17
DAS WISSEN

Der Meister sprach: »Yu, soll ich dich das Wissen lehren? Was man weiß, als Wissen gelten lassen, was man nicht weiß, als Nichtwissen gelten lassen: das ist Wissen.«

18
WIE MAN EINE
LEBENSSTELLUNG ERWIRBT

Dsï Dschang wollte eine Lebensstellung erreichen. Der Meister sprach: »Viel hören, das Zweifelhafte beiseite lassen, vorsichtig das Übrige aussprechen, so macht man wenig Fehler. Viel sehen, das Gefährliche beiseite lassen, vorsichtig das Übrige tun, so hat man wenig zu bereuen. Im Reden wenig Fehler machen, im Tun wenig zu bereuen haben: darin liegt eine Lebensstellung.«

19
FÜGSAME UNTERTANEN

Fürst Ai fragte und sprach: »Was ist zu tun, damit das Volk fügsam wird?« Meister Kung entgegnete und sprach: »Die Geraden erheben, daß sie auf die Verdrehten drücken: so fügt sich das Volk. Die Verdrehten erheben, daß sie auf die Geraden drücken: so fügt sich das Volk nicht.«

20
DAS BEISPIEL
DER HERRSCHENDEN

Freiherr Gi Kang fragte: »Das Volk zur Ehrfurcht und Treue zu bringen durch Ermahnungen: was ist davon zu halten?« Der Meister sprach: »Sich (zum Volk) herablassen mit Würde:

dadurch bekommt (das Volk) Ehrfurcht; kindliche Ehrfurcht und Menschenliebe (zeigen): dadurch wird es treu. Die Guten erhöhen und die Unfähigen belehren: so wird das Volk ermahnt.«

21
ABWEISUNG
EINES LÄSTIGEN FRAGERS

Es redete jemand zu Meister Kung und sprach: »Weshalb beteiligt sich der Meister nicht an der Leitung (des Staates)?« Der Meister sprach: »Wie steht im ›Buch‹ von der Kindespflicht geschrieben? Kindliche Ehrfurcht und Freundlichkeit gegen die Brüder, das muß man halten, um Leitung zu üben. Das heißt also auch Leitung ausüben. Warum soll denn nur das (amtliche Wirken) Leitung heißen?«

22
UNAUFRICHTIGKEIT
MACHT UNBRAUCHBAR

Der Meister sprach: »Ein Mensch ohne Glauben: ich weiß nicht, was mit einem solchen zu machen ist. Ein großer Wagen ohne Joch, ein kleiner Wagen ohne Kummet, wie kann man den voranbringen?«

23
HUNDERT GENERATIONEN
ZU KENNEN

Dsï Dschang fragte, ob man zehn Zeitalter wissen könne. Der Meister sprach: »Die Yindynastie beruht auf den Sitten der Hiadynastie; was sie davongenommen und dazugetan, kann man wissen. Die Dschoudynastie beruht auf den Sitten der Yindynastie. Was sie davongenommen und dazugetan, kann man wissen. Eine andere Dynastie mag die Dschoudynastie fortsetzen, aber ob es hundert Zeitalter wären, man kann wissen (wie es gehen wird).«

Der Meister sprach: »Andern Geistern als den eigenen (Ahnen) zu dienen, ist Schmeichelei. Die Pflicht sehen und nicht tun, ist Mangel an Mut.«

Kungfutse im hohen Alter, beschäftigt mit dem Studium des I Ging (Buch der Wandlungen), mit dem er sich so intensiv abgab, daß der Einband dreimal erneuert werden mußte; siehe auch Buch VII, 16. Holzschnitt aus dem 16. Jahrhundert

Dieses Buch handelt hauptsächlich von den Riten und Zeremonien, die bei der Regierung in Ausübung kommen. Da es
viele historische Beziehungen hat, ist die Durcharbeitung des
Stoffes nicht immer leicht. Umgekehrt gibt es dem aufmerk-
samen Beobachter vielen Stoff für die richtige Einordnung
Kungs in den historischen Verlauf des chinesischen Geistes-
lebens. Der in dem Buch wiederholt ausgesprochene Gedanke
ist, daß alle äußere Form nur dann Sinn hat, wenn ihr ein
adäquater Inhalt zur Seite steht. So müssen auch alle Riten
und Religionsbräuche Ausfluß der entsprechenden religiösen
Gesinnung sein, wenn sie Wert haben sollen. Im übrigen
wenden sich die einzelnen Abschnitte gegen Luxus, Anmaßung und Überfeinerung der Zeit und weisen auf die Einfachheit und Strenge des Altertums als Vorbild.

1
USURPATORENBRAUCH
I: ACHT REIHEN

Meister Kung sagte von dem Freiherrn Gi, in dessen Haus-
tempel acht Reihen (von Tempeldienern) die heiligen Handlungen ausführten: »Wenn man das hingehen lassen kann,
was kann man dann nicht hingehen lassen?«

*Die Familie Gi, ein dem Fürstenhaus von Lu verwandtes Ge-
schlecht, hatte bei den Ahnenopfern in ihrem Familientempel zur
Ausführung der Zeremonien acht Reihen von Tempeldienern in
Gebrauch, eine Zahl, die nur dem Kaiser selbst zustand. Kung
machte darauf aufmerksam, daß darin eine so starke Anmaßung
liege, daß, wenn der Fürst das hingehen lasse, er auch auf alle
möglichen Konsequenzen auf politischem Gebiet gefaßt sein müsse.*

2
USURPATORENBRAUCH II: YUNG-ODE

Die drei Familien ließen unter den Klängen der Yung-Ode
(die Opfergeräte) abräumen. Der Meister sprach: »»Die Va-

sallen dienen, der Sohn des Himmels schaut würdevoll darein.‹ Welchen Sinn haben diese Worte in der Halle der drei Familien?«

Ebenso hatten die drei vornehmen Familien Gi, Mong, Schu Sun es eingeführt, daß unter den Klängen des Feiergesangs, mit dem der Begründer der Dschoudynastie, König Wu, seinem Vater König Wen opferte, bei ihren Ahnenopfern die Opfergeräte abgeräumt wurden. Kung machte auf das Lächerliche dieser Anmaßung aufmerksam, da in diesem Feiergesang vom Himmelssohn und den Vasallen die Rede ist, die bei den Opfern der Beamten eines Kleinstaats natürlich leere Fiktion waren.

3

RELIGION UND KUNST

OHNE SITTLICHKEIT

Der Meister sprach: »Ein Mensch ohne Menschenliebe, was hilft dem die Form? Ein Mensch ohne Menschenliebe, was hilft dem die Musik?«

4

DAS WESEN DER FORMEN

Lin Fang fragte nach der Wurzel der Formen. Der Meister sprach: »Ja, das ist eine wichtige Frage. Bei den Formen des Verkehrs ist wertvoller als Prunk die Einfachheit. Bei Trauerfällen ist wertvoller als Leichtigkeit die Trauer.«*

* Die Antwort Kungs läßt erkennen, wie sehr er die Innerlichkeit des Gefühlslebens wichtig nimmt, sogar auf Kosten der äußeren Form.

5

DIE BARBAREN UND DAS REICH

Der Meister sprach: »Der Zustand der Barbarenstaaten, die ihre Fürsten haben, ist nicht wie der Zustand unseres großen Reiches, das keine hat.«

Die wilden Stämme im Osten und Norden gehorchen ihren Häuptlingen und haben Sinn für Autorität; sie gleichen in diesem Stück nicht unserem herrlichen großen Reich, in dem alle Autorität vernichtet ist.

Freiherr Gi opferte dem Taischan, und der Meister sagte zu
Jan Yu und sprach: »Kannst du ihn nicht davor bewahren?«
Er erwiderte: »Ich kann es nicht.« Der Meister sprach: »Ach,
in eurem Reden vom Taischan gleicht ihr nicht Lin Fang.«

*Der (obengenannte) Freiherr Gi kam einmal auch auf den Gedan-
ken, dem Geist des Berges Taischan ein prächtiges Opfer darzubringen. Kung sagte, als er davon hörte, zu seinem Schüler Jan Yu,
der Hausbeamter im Dienst jener Familie war: »Kannst du ihn
nicht vor dieser Geschmacklosigkeit bewahren?« Der Schüler ver-
neinte es. Da sprach Kung: »Ihr seid in euren Ansichten von dem
Geist des Taischan noch nicht einmal so weit wie Lin Fang [der
nach dem Sinn, der solchen Feierlichkeiten zugrunde liegt, mich gefragt hat].«*

7

DER GEBILDETE IM WETTSTREIT

Der Meister sprach: »Der Edle kennt keinen Streit. Oder ist
es beim Bogenschießen vielleicht notwendig? Da läßt er mit
einer Verbeugung dem andern den Vortritt beim Hinauf-
steigen. Er steigt wieder herab und läßt ihn trinken. Er bleibt
auch im Streit ein Edler.«

8

DIE FORM DAS LETZTE

Dsï Hia fragte und sprach: »Was bedeutet die Stelle:

>Ihres schelmischen Lächelns Grübchen,
Ihrer schönen Augen Blinken
Macht schlichtes Weiß zur schönsten Zier?«

Der Meister sprach: »Beim Malen setzt man zuletzt die
weißen Stellen auf.« Der Schüler sprach: »Also sind die
Formen des Benehmens das letzte.« Da sprach der Meister:
»Wer mir behilflich ist (meine Gedanken herauszubringen),

das ist Schang.* Mit dem kann man anfangen, über die Lieder zu reden.«

Der Jünger Dsï Hia fragte einst den Meister über den Sinn der Stelle aus einem alten Lied, wo von einer fürstlichen Braut die Rede ist, die im einfachen Reisekleid ihrem Bräutigam entgegenfährt, deren Schönheit aber so lebhaft wirkt, daß sie in ihrem einfachen weißen Kleid so bezaubernd aussieht, wie andre in gestickten Festgewändern. Der Meister antwortete darauf: »Beim Bemalen der Festgewänder setzt man ja auch zuletzt die weißen Umrißlinien auf.« Der Schüler dachte einen Augenblick nach und sagte: »Das bedeutet also, aufs moralische Gebiet übertragen, daß die äußere Form das letzte ist, das dem Charakter den letzten, höchsten Schliff der Vollkommenheit gibt.« Da sprach der Meister erfreut: »Du gibst mir da einen guten Gedanken, mein Freund, mit dir kann man sich mit Gewinn über die Lieder unterhalten.«

* Schang ist der Vorname des Dsï Hia.

9

VERFALL

DER KENNTNIS DES ALTERTUMS

Der Meister sprach: »Die Riten der Hiadynastie könnte ich beschreiben, aber die Gi sind nicht imstande, meine Worte zu bestätigen. Die Riten der Yindynastie könnte ich beschreiben, aber die Sung sind nicht imstande, meine Worte zu bestätigen. Der Grund dafür ist, daß ihre literarischen Urkunden und Gelehrten nicht mehr auf der Höhe sind. Wenn sie auf der Höhe wären, so könnte ich mich auf sie berufen.«

Kung schloß sich in seinen Anschauungen hauptsächlich an die staatlichen Einrichtungen der Dschoudynastie an, während er die beiden vorhergehenden Dynastien Hia und Yin (Schang) nicht so sehr berücksichtigte. Den Grund für dieses Verhalten gab er an, indem er sprach: »Ich persönlich bin wohl imstande, mir eine Anschauung von den staatlichen Einrichtungen der Hia- und Yindynastie zu bilden. Aber die Nachkommen der Hiadynastie, die heute noch in dem kleinen Fürstentum Gi sitzen, sind nicht imstande, wirkliche Beweise für meine Anschauungen zu liefern. Ebenso lassen sich die Einrichtungen der Yindynastie nicht durch deren Nachkommen in Sung urkundlich belegen. Der Grund für diesen

Mangel an historischer Dokumentation ist, daß die literarischen Urkunden und die Gelehrten nicht auf der Höhe sind. So bleibt alles subjektiven Vermutungen überlassen, während ich meine Behauptungen belegen könnte, wenn die historischen Monumente in Ordnung wären.«

10
DAS GROSSE OPFER IN LU

Der Meister sprach: »Beim großen Opfer (für den Ahn der Dynastie) mag ich vom Ausgießen der Libation an nicht mehr zusehen.«

11
DIE GEHEIMNISVOLLE
BEDEUTUNG DES GROSSEN OPFERS
FÜR DIE REGIERUNG

Es fragte jemand nach der Bedeutung des großen Opfers (für den Ahn der Dynastie). Der Meister sprach: »Weiß nicht. Wer davon die Bedeutung wüßte, der wäre imstande, die Welt zu regieren, – so leicht wie hierher zu sehen!« Dabei deutete er auf seine flache Hand.

12
ERNST IM VERKEHR
MIT DEN ÜBERIRDISCHEN

Er opferte (den Ahnen) als in ihrer Gegenwart. Er opferte den Göttern als in ihrer Gegenwart. Der Meister sprach: »Wenn ich bei der Darbringung meines Opfers nicht anwesend bin, so ist es, als habe ich gar nicht geopfert.«

13
HERDGOTT UND HAUSGEIST

Wang Sun Gia fragte und sprach: »Was ist der Sinn des Sprichworts: Man macht sich eher an den Herdgeist als an den Geist des inneren Hauses?« Der Meister sprach: »Nicht also; sondern wer gegen den Himmel sündigt, hat niemand, zu dem er beten kann.«*

14

KULTURFORTSCHRITT

Der Meister sprach: »Die Dschoudynastie sieht auf zwei Dynastien zurück. Ihre ganze Bildung ist daher verfeinert. Ich schließe mich der Dschoudynastie an.«

15

GESCHICKLICHKEIT
IN DER RELIGION

Als der Meister das königliche Heiligtum betrat, erkundigte er sich nach jeder einzelnen Verrichtung. Da sprach jemand: »Wer will behaupten, daß der Sohn des Mannes von Dsou die Religion kennt, da er sich beim Betreten des großen Tempels erst nach jeder einzelnen Verrichtung erkundigt?« Der Meister hörte es und sprach: »Das eben ist Religion.«

16

GESCHICKLICHKEIT
NICHT ROHE KRAFT

Der Meister sprach: »Beim Bogenschießen kommt es nicht darauf an, durch die Scheibe durchzuschießen, weil die

Körperkraft der Menschen verschieden ist. So hielt man's
wenigstens in alter Zeit.«

17
DAS OPFERSCHAF

Dsï Gung wollte, daß das Opferschaf bei der Verkündigung
des neuen Mondes abgeschafft würde. Der Meister sprach:
»Mein lieber Sï, dir ist es leid um das Schaf, mir ist es leid
um den Brauch.«

18
VERKANNTE
GEWISSENHAFTIGKEIT
IM FÜRSTENDIENST

Der Meister sprach: »Wenn man heutzutage im Dienst des
Fürsten alle Gerechtigkeit erfüllt, so halten es die Leute für
Schmeichelei.«

19
FÜRST UND BEAMTE

Fürst Ding fragte, wie ein Fürst seine Beamten behandeln
und wie die Beamten ihrem Fürsten dienen sollen. Meister
Kung entgegnete und sprach: »Der Fürst behandle den Beamten, wie es die Sitte verlangt, der Beamte diene dem Fürsten, wie es sein Gewissen verlangt.

20
MASS IM
AUSDRUCK DER EMPFINDUNG

Der Meister sprach: »Das Guan Dsü Lied ist fröhlich, ohne
ausgelassen zu sein, ist sehnsuchtsvoll, ohne das Herz zu ver-
wunden.«

21
NOLI TANGERE

Fürst Ai erkundigte sich bei Dsai Wo über (die alten Bräuche
in betreff des) Erdaltars. Dsai Wo erwiderte und sprach:

»Die Herrscher aus dem Hause Hia pflanzten Föhren darum, die Leute der Yindynastie Zypressen, die Leute der Dschoudynastie aber Zitterpappeln, wohl um die Untertanen zittern zu machen.« Der Meister hörte es und sprach: »Über Taten, die geschehen sind, ist es umsonst, zu sprechen. Bei Taten, die ihren Lauf genommen haben, ist es umsonst, zu mahnen; wollen wir, was vorüber ist, nicht tadeln.«

22

VERSCHWENDUNG UND ANMASSUNG
ALS ZEICHEN BESCHRÄNKTEN CHARAKTERS

Der Meister sprach: »Guan Dschung war doch im Grunde ein beschränkter Geist.« Jemand sprach: »War Guan Dschung zu einfach?« (Der Meister) sprach: »Guan hat sich den prächtigen San Gui Palast gebaut, und für jede einzelne Verrichtung hatte er einen besonderen Angestellten. Wie kann man da behaupten, daß er einfach war?« »Aber dann verstand sich Guan Dschung wohl besonders gut auf die Etikette?« (Der Meister) sprach: »Die Landesfürsten haben das Vorrecht, eine Schutzwand vor ihrem Palasttor zu errichten. Guan hatte dieselbe Schutzwand vor seinem Tor. Die Landesfürsten pflegen bei ihren Zusammenkünften besondere Kredenztische zu benutzen, Guan benutzte ebenfalls einen solchen Kredenztisch. Wenn Guan sich auf die Etikette verstand, wer versteht sich dann nicht auf Etikette?«

23

DER RECHTE
VORTRAG DER MUSIK

Der Meister redete mit dem Musikmeister von Lu über Musik und sprach: »Man kann wissen, wie ein Musikstück ausgeführt werden muß. Beim Beginn muß es zusammenklingen. Bei der Durchführung müssen in harmonischer Weise die einzelnen Themen herausgehoben werden in fließendem Zusammenhang bis zum Ende.«

Der Grenzwart von I* bat (beim Meister) eingeführt zu
werden, (indem) er sprach: »Wenn ein großer Mann hier
durchkommt, wurde es mir noch nie versagt, ihn zu sehen.«
Darauf wurde er eingeführt. Als er herauskam, sprach er:
»Meine Freunde, was seid ihr traurig, als wäre alles aus?
Die Welt war lange ohne Wort Gottes; nun gebraucht der
Himmel euren Meister als Glocke.«

* I ist der Grenzplatz des Staates We, wohin sich Kung begab, als er infolge
der Intrigen, die den Herrscher von Lu umsponnen hatten, sich aus seiner amtlichen Stellung zurückziehen mußte. Die Szene fällt in den Anfang der langen
Wanderzeit Kungs.

Der Meister sprach von der Schau-Musik: »Sie erreicht die
höchste Klangschönheit und ist auch in ihrem technischen
Aufbau vollkommen.« Von der Wu-Musik sagte er: »Sie
steht an Klangschönheit ebenso hoch, aber ist in ihrer Form
nicht so vollkommen.«

Der Meister sprach: »Hervorragende Stellung ohne Großartigkeit, Religionsübung ohne Ehrfurcht, Erledigung der
Beerdigungsbräuche ohne Herzenstrauer: solche Zustände
kann ich nicht mit ansehen.«

BUCH IV

Das vierte Buch handelt in seinen ersten Abschnitten von einem der wichtigsten Begriffe der konfuzianischen Lehre, dem »jen«. Der Begriff hängt zusammen mit dem Begriff »jen« »Mensch«, ja der Begriff »Mensch« wird in dem Werk »Dschung Yung« direkt zur Erklärung herangezogen. Gewöhnlich wird das Wort übersetzt mit »Menschlichkeit«, »Humanität«, »Wohlwollen«, »Vollkommenheit«. Es sind das alles Übersetzungen, die möglich sind nach vorausgegangener Definition. »Menschlichkeit« hat aber eine etwas andre Klangfarbe, ebenso »Humanität«; deshalb haben wir, um einen möglichst umfassenden Begriff zu geben, den Ausdruck »sittlich«, »Sittlichkeit« gewählt. Es liegt darin das »sozial Bedingte, das mit der weiteren Entwicklung sich erweitert zum Ideal der gerecht-liebevollen Behandlung der Nebenmenschen im Sinn der möglichsten Förderung der Menschheit im eigenen und fremden Ich« (vgl. Eisler, Wörterbuch der philosophischen Begriffe). Diese Definition deckt sich genau mit dem chinesischen Begriff.

1

GUTE NACHBARSCHAFT

Der Meister sprach: »Gute Menschen machen die Schönheit eines Platzes aus. Wer die Wahl hat und nicht unter guten Menschen wohnen bleibt, wie kann der wirklich weise (genannt) werden?«

2

SEELENFRIEDEN

Der Meister sprach: »Ohne Sittlichkeit kann man nicht dauernde Bedrängnis ertragen, noch kann man langen Wohlstand ertragen. Der Sittliche findet in der Sittlichkeit Frieden, der Weise achtet die Sittlichkeit für Gewinn.«

Der Meister sprach: »Nur der Sittliche kann lieben und hassen.«

Der Meister sprach: »Wenn der Wille auf die Sittlichkeit gerichtet ist, so gibt es kein Böses.«

Der Meister sprach: »Reichtum und Ehre sind es, was die Menschen wünschen; aber wenn sie einem unverdient zuteil werden, so soll man sie nicht festhalten. Armut und Niedrigkeit sind es, was die Menschen hassen; aber wenn sie einem unverdient zuteil werden, so soll man sie nicht loszuwerden suchen. Ein Edler, der von der Sittlichkeit läßt, entspricht nicht dem Begriff (des Edlen). Der Edle übertritt nicht während der Dauer einer Mahlzeit die (Gesetze der) Sittlichkeit. In Drang und Hitze bleibt er unentwegt dabei, in Sturm und Gefahr bleibt er unentwegt dabei.«

Der Meister sprach: »Ich habe noch niemand gesehen, der das Sittliche liebt und das Unsittliche haßt. Wer das Sittliche liebt, dem geht nichts darüber. Wer das Unsittliche haßt, dessen Sittlichkeit ist so stark, daß nichts Unsittliches seiner Person sich nahen kann. Wenn einer einen Tag lang seine ganze Kraft an das Sittliche setzen will: ich habe noch keinen gesehen, dessen Kraft dazu nicht ausreichte. Vielleicht gibt es auch solche, aber ich habe noch keinen gesehen.«

7

PSYCHOLOGIE DER VERFEHLUNGEN

Der Meister sprach: »Die Überschreitungen eines jeden Menschen entsprechen seiner Wesensart. Dadurch daß man seine Überschreitungen sieht, kann man einen Menschen erkennen.«

8

DAS BESTE IN DER WELT

Der Meister sprach: »In der Frühe die Wahrheit vernehmen und des Abends sterben: das ist nicht schlimm.«

9

FALSCHE SCHAM

Der Meister sprach: »Der Gebildete richtet sein Streben auf die Wahrheit; wenn einer aber sich schlechter Kleider und schlechter Nahrung schämt, der ist noch nicht reif, um mitzureden.«

10

SINE IRA ET STUDIO

Der Meister sprach: »Der Edle hat für nichts auf der Welt eine unbedingte Voreingenommenheit oder eine unbedingte Abneigung. Das Rechte allein ist es, auf dessen Seite er steht.«

11

EDLES UND GEMEINES STREBEN

Der Meister sprach: »Der Edle liebt den inneren Wert, der Gemeine liebt das Irdische; der Edle liebt das Gesetz, der Gemeine sucht die Gunst.«

12

NACHTEIL DER SELBSTSUCHT

Der Meister sprach: »Wer bei seinen Handlungen immer auf Vorteil aus ist, zieht sich viel Groll zu.«

13
WESEN UND SCHEIN

Der Meister sprach: »Wer durch Ausübung der Moral seinen Staat regiert, was (für Schwierigkeiten) könnte der haben? Wer aber nicht durch Ausübung der Moral den Staat regiert, was nützt dem die Moral?«

14
GRUND ZUM KUMMER

Der Meister sprach: »Nicht das soll einen bekümmern, daß man kein Amt hat, sondern das muß einen bekümmern, daß man dafür tauglich werde. Nicht das soll einen bekümmern, daß man nicht bekannt ist, sondern danach muß man trachten, daß man würdig werde, bekannt zu werden.«

15
DIE SUMME DER LEHRE

Der Meister sprach: »Nicht wahr, Schen, meine ganze Lehre ist in Einem befaßt.« Meister Dsong sprach: »Ja.« Als der Meister hinaus war, fragten seine Schüler und sprachen: »Was bedeutet das?« Meister Dsong sprach: »Unsres Meisters Lehre ist Treue gegen sich selbst und Gütigkeit gegen andre: darin ist alles befaßt.«

16
WES DAS HERZ VOLL IST

Der Meister sprach: »Der Edle ist bewandert in der Pflicht, der Gemeine ist bewandert im Gewinn.«

17
ANZIEHENDES
UND WARNENDES BEISPIEL

Der Meister sprach: »Wenn du einen Würdigen siehst, so denke darauf, ihm gleich zu werden. Wenn du einen Unwürdigen siehst, so prüfe dich selbst in deinem Innern.«

KINDESPFLICHT

I: VORHALTE

Der Meister sprach: »Den Eltern dienend darf man ihnen in zarter Weise Vorstellungen machen. Wenn man aber sieht, daß sie nicht gewillt sind, darauf zu hören, so soll man fortfahren, ehrerbietig sich zu fügen, und auch die schwersten Anstrengungen ohne Murren tragen.«

19
KINDESPFLICHT

II: REISEN

Der Meister sprach: »Solange die Eltern leben, soll man nicht in die Ferne ziehen. Und wenn man nach auswärts geht, so soll man einen bestimmten Wohnort wählen.«

20
KINDESPFLICHT

III: PIETÄT

Der Meister sprach: »Wer drei Jahre lang nicht abweicht von seines Vaters Wegen, kann kindesliebend genannt werden.«

21
KINDESPFLICHT

IV: ALTER DER ELTERN

Der Meister sprach: »Die Jahre der Eltern darf man nie vergessen: erstens, um sich darüber zu freuen, zweitens, um sich darüber zu sorgen.«

22
VOM SCHWEIGEN

Der Meister sprach: »Die Alten sparten ihre Worte; denn sie schämten sich, mit ihrem Betragen hinter ihren Worten zurückzubleiben.«

23
SEGEN DER BESCHRÄNKUNG

Der Meister sprach: »Die durch Beschränkung verloren haben, sind selten.«

24
LANGSAM IM REDEN

Der Meister sprach: »Der Edle liebt es, langsam im Wort und rasch im Tun zu sein.«

25
GEISTESGEMEINSCHAFT

Der Meister sprach: »Innerer Wert bleibt nicht verlassen; er findet sicher Nachbarschaft.«

26
WIDER DIE AUFDRINGLICHKEIT

Dsï Yu sprach: »Im Dienst des Fürsten bringen lästige Vorwürfe Ungnade. Zwischen Freunden führen lästige Vorwürfe zu Entfremdung.«

BUCH V

Dieses Buch enthält hauptsächlich gelegentliche Bemerkungen Kungs über Leute seiner Bekanntschaft und aus der Geschichte. Es ist sehr interessant, weil es den Meister im Kreis der Seinen, ungezwungen über dies und jenes redend zeigt, während er doch bei allem, was er sagt und tut, die höchsten Prinzipien im Hintergrund hat, von denen ein Licht auch auf scheinbar Nebensächliches und Gleichgiltiges ausstrahlt. Ähnlich wie Goethe in seinen Gesprächen mit Eckermann plaudert der chinesische Weise über diesen und jenen Menschen und gewährt dabei zugleich manchen Einblick in tiefere ethische Zusammenhänge des Lebens überhaupt.

1
VERHEIRATUNGEN

Der Meister sagte von Gung Ye Tschang: »Man kann ihm eine Frau zur Ehe geben; obwohl er in Banden liegt, ist es doch nicht seine Schuld.« So gab er ihm seine Tochter zur Frau. Der Meister sagte von Nan Yung: »Wenn das Land wohl geleitet ist, so wird er nicht beiseite gesetzt werden. Wenn das Land schlecht geleitet ist, so wird er wenigstens Bestrafung und Hinrichtung zu vermeiden wissen.« Und so gab er ihm die Tochter seines älteren Bruders zur Frau.*

* Aus den beiden Verheiratungen geht gerade in ihrer Zusammenstellung hervor, daß Kung weder auf besondere Begabung (beide Männer spielen keine hervorragende Rolle im konfuzianischen Schülerkreis) noch auf äußere Glücksumstände (Gung Ye Tschang war im Gefängnis, Nan Yung in den besten Verhältnissen) entscheidenden Wert legte, sondern allein auf einen einfachen, soliden Charakter.

2
BILDENDER UMGANG

Der Meister sagte von Dsï Dsiën: »Ein Edler in der Tat ist dieser Mann! Wenn es in Lu keine Edlen gäbe, wie hätte dieser dieses erreicht?«

Dsï Gung fragte und sprach: »Und wem ist Sï gleich?« Der Meister sprach: »Du? du bist ein Gerät.« Er sprach: »Was für in Gerät?« Er sprach: »Eine geschliffene Opferschale.«

Dsï Gung wollte die Gelegenheit wieder benutzen, um auch ein Lob für sich zu ernten (vgl. I, 15), und fragte, welche Stufe er erreicht habe. Der Meister erwiderte ihm lächelnd: »Du bist noch nicht so weit, um als selbständige Persönlichkeit in Betracht zu kommen, du kannst nur etwas leisten, wenn du von andern verwandt wirst (vgl. II, 12).« »Und wozu kann ich verwandt werden?« fragte der Schüler. »Zu großen Feierlichkeiten und Opferfesten; denn an guten Formen fehlt es dir nicht«, antwortete begütigend der Meister.

4
GÜTE UND REDEGEWANDTHEIT

Es sprach jemand: »Yung ist sittlich, aber nicht redegewandt.« Der Meister sprach: »Wozu braucht's Redegewandtheit? Wer den Leuten immer mit seiner Zungenfertigkeit entgegentritt, zieht sich stets nur Abneigung von den Menschen zu. Ob er sittlich ist, weiß ich nicht, aber wozu braucht's der Redegewandtheit?«

5
VORSICHT BEI
ÜBERNAHME EINES AMTES

Der Meister wollte dem Tsi-Diau Kai ein Amt übertragen. Er erwiderte und sprach: »Ich kann dies* hier noch nicht glauben.« Der Meister war erfreut.

* Nach einer in Gia Yü (Schulgespräche) überlieferten Tradition war Tsi-Diau Kai eben mit der Lektüre des Schu Ging (Buch der Urkunden) beschäftigt, und seine Antwort bezog sich auf die darin enthaltenen Lehren.

6
DAS FLOSS DER WAHRHEIT

Der Meister sprach: »Die Wahrheit hat keinen Erfolg. Ich muß wohl ein Floß besteigen und über die See fahren. Wenn mich einer dabei begleitet, so ist es wohl Yu.« Dsï Lu hörte es und freute sich. Der Meister sprach: »Yu ist wohl mutiger als ich, aber es fehlt ihm die Überlegung, um das Material für das Floß zu beschaffen.«

7
VERSCHIEDENE BRAUCHBARKEIT

Der Freiherr Mong Wu fragte, ob Dsï Lu sittlich vollkommen sei. Der Meister sprach: »Ich weiß es nicht.« Noch weiter befragt, antwortete der Meister: »Man kann den Yu brauchen zur Leitung des Militärwesens selbst in einem Staate mit 1000 Kriegswagen.* Aber ob er sittlich vollkommen ist, das weiß ich nicht.« »Und wie steht es mit Kiu?« Der Meister sprach: »Kiu? In einem Bezirk von 1000 Familien** oder einem Haus mit 100 Kriegswagen kann man ihn zur Leitung der inneren Angelegenheiten brauchen. Aber ob er sittlich vollkommen ist, weiß ich nicht.« »Und wie steht es mit Tschï?« Der Meister sprach: »Tschï ist brauchbar, mit dem Gürtel gegürtet bei Hofe stehend den Verkehr mit Besuchern und Gästen zu führen. Aber ob er sittlich vollkommen ist, weiß ich nicht.«

* Staat mit 1000 Kriegswagen ist ein Lehnsstaat erster Ordnung (etwa Lu).
** Bezirk von 1000 Familien entspricht einer Leistung von 100 Kriegswagen, eine größere Grafschaft innerhalb eines Lehnsstaats.

8
ERZIEHUNG ZUR BESCHEIDENHEIT

Der Meister sagte zu Dsï Gung: »Du oder Hui, wer von euch beiden ist weiter?« Er erwiderte: »Wie könnte ich wagen, auf Hui zu blicken! Hui, wenn der Eines hört, so weiß er zehn. Wenn ich Eines höre, so weiß ich zwei.« Der Meister sprach: »Du kommst ihm nicht gleich. Ich und du, wir sind ihm darin nicht gleich.«*

* Vgl. I, 15; V, 3, 11 usw. Auch hier ist die beabsichtigte Lehre an den begabten, aber von Einbildung nicht freien Schüler klar. Durch Vergleiche mit dem »unerreichbaren« Jünger Yen Hui, »den der Meister liebhatte«, soll Dsï Gung zum Bewußtsein seiner eignen Unzulänglichkeit kommen. Der Jünger besitzt

Selbsterkenntnis genug, dies anzuerkennen, und der Meister tröstet ihn, indem er sich ebenfalls an natürlicher Auffassungsgabe als hinter Yen Hui zurückstehend bekennt.

9
TADEL

Dsai Yü verweilte am hellen Tage in seinem Schlafzimmer. Der Meister sprach: »Faules Holz kann man nicht schnitzen. Eine Wand aus schlechtem Lehm läßt sich nicht streichen. Dieser Yü da! Was soll man ihm überhaupt noch Vorwürfe machen!« Der Meister sprach: »Früher stand ich so zu den Menschen: Wenn ich ihre Worte hörte, so glaubte ich an ihre Taten. Jetzt stehe ich so zu den Menschen: Ich höre ihre Worte, und dann sehe ich nach ihren Taten. Durch Yü kam ich dazu, diese Änderung vorzunehmen.«

10
STÄRKE UND SINNLICHKEIT

Der Meister sprach: »Ich habe noch keinen Menschen von wirklicher Charakterstärke gesehen.« Es erwiderte jemand: »Schen Tschang.« Der Meister sprach: »Tschang ist der Sinnlichkeit unterworfen. Wie könnte er stark sein?«

11
IDEAL UND WIRKLICHKEIT

Dsï Gung sprach: »Was ich nicht mag, daß die Leute mir zufügen, das mag ich auch ihnen nicht zufügen.« Der Meister sprach: »Mein Sï, diese Stufe hast du noch nicht erreicht.«

12
EXOTERISCHES
UND ESOTERISCHES

Dsï Gung sprach: »Des Meisters Reden über Kultur und Kunst kann man zu hören bekommen. Aber die Worte des

Meisters über Natur und Weltordnung kann man nicht (leicht)
zu hören bekommen.«*

* Worüber der Meister oft sprach, das waren die praktischen Berufsfragen. Die
letzten Weltanschauungsprobleme waren Kung zu heilig, um viel darüber zu
reden.

13
GRÜNDLICHKEIT

Wenn Dsï Lu eine Lehre vernommen, die er noch nicht auszuführen vermochte, so fürchtete er sich nur davor, noch
andre Lehren zu vernehmen.

14
BESCHEIDENHEIT BEIM
ERWERBEN VON KENNTNISSEN

Dsï Gung fragte und sprach: »Weshalb ist Kung Wen Dsï
der ›Weise‹ (Wen) genannt worden?« Der Meister sprach:
»Er war rasch (von Begriff) und liebte zu lernen; er schämte
sich nicht, Niedrige zu fragen; das ist der Grund, warum er
der ›Weise‹ genannt wird.«

15
HERVORRAGENDE
CHARAKTERSEITEN

Der Meister sagte von Dsï Tschan, daß er vier Eigenschaften
eines Edlen gehabt habe: in seinem persönlichen Leben war
er ernst, im Dienst des Fürsten war er ehrfurchtsvoll, in der
Sorge für die Nahrung des Volks zeigte er Gnade, in der
Verwendung des Volks Gerechtigkeit.

16
VERKEHR MIT MENSCHEN

Der Meister sprach: »Yen Ping Dschung versteht es, mit
Menschen umzugehen. Auch nach jahrelangem Verkehr genießt er noch die Hochachtung der Leute.«

DIE SCHILDKRÖTE

Der Meister sprach: »Dsang, der ›Weise‹, bewahrte eine Schildkröte in einem Hause, dessen Säulen mit geschnitzten Darstellungen von Bergen und dessen Balken mit Schilfgräsern geziert waren. Was ist denn dabei für eine Weisheit?«

18

DIE SITTLICHKEIT

IST SCHWER ZU ERKENNEN

Dsï Dschang fragte und sprach: »Der Kanzler Dsï Wen wurde dreimal in das Amt des Kanzlers (von Tschu) berufen, ohne sich darüber erfreut zu zeigen. Er wurde dreimal abgesetzt, ohne sich darüber mißvergnügt zu zeigen. Außerdem machte er sich zur Pflicht, seinen Nachfolger in das Amt einzuführen. Wie ist er zu beurteilen?« Der Meister sprach: »Er war gewissenhaft.« Auf die Frage, ob er als sittlicher Charakter bezeichnet werden könnte, sagte er: »Ich weiß es nicht, ob er sittlich genannt werden kann.« – (Der Schüler fuhr fort:) »Als der General Tsui seinen Herrn, den Fürsten von Tsi, ermordete, da ließ der edle Tschen Wen, obwohl er 10 Viergespanne besaß, seine Habe im Stich und wanderte aus. Er kam in ein anderes Land, da sprach er: ›Hier sind sie geradeso wie unser General Tsui‹ und wanderte aus. Er kam noch in ein Land und sprach abermals: ›Hier sind sie geradeso wie unser General Tsui‹ und wanderte aus. Wie ist er zu beurteilen?« Der Meister sprach: »Er war rein.« Auf die Frage, ob er als sittlicher Charakter bezeichnet werden könne, sagte er: »Ich weiß es nicht, ob er sittlich genannt werden kann.«

19

ÜBERLEGUNGEN

Von Gi, dem »Weisen«, hieß es, daß er alles erst dreimal überlege, ehe er sich zum Handeln entschließe. Der Meister hörte davon und sprach: »Wenn er auch nur zweimal sich die Sachen überlegt, so ist es schon gut.«

PRÜFSTEIN DER WEISHEIT

Der Meister sprach: »Der Freiherr Ning Wu war weise, solange Ordnung im Lande herrschte. Als Unordnung im Lande aufkam, benahm er sich töricht. In seiner Weisheit können andre ihn erreichen. In seiner Torheit aber ist er unerreichbar.« Es gelang ihm nämlich, durch seine scheinbare Torheit seinen Fürsten zu retten.

SORGE FÜR DIE NACHWELT

Der Meister sprach in Tschen: »Ich muß heim! Ich muß heim! Meine jungen Freunde zu Hause sind enthusiastisch und großartig. Sie sind bewandert in allen Künsten. Aber sie wissen noch nicht sich zu mäßigen.«

VERGEBEN

Der Meister sprach: »Be I und Schu Tsi* gedachten nicht alter Fehler; darum blieben sie frei von Groll.«

* Be I und Schu Tsi sind zwei Prinzen aus dem Ende der Yindynastie. Als der Vater dem Jüngeren die Nachfolge auf dem Thron zugesagt hatte, weigerte sich dieser, seinen älteren Bruder zu verdrängen. Ebenso weigerte sich der ältere Bruder, das Recht des jüngeren zu verkürzen. Schließlich zogen sie sich beide in die Verborgenheit zurück und ließen das Reich dahinten. Als später König Wu, der Gründer der Dschoudynastie, auftrat, wandten sie sich gegen ihn, und als er Sieger blieb, verhungerten sie freiwillig auf dem Schouyangberg, um das Brot der neuen Dynastie nicht essen zu müssen. Obwohl sie demnach auf der gegnerischen Seite der von Kung so hoch verehrten Dschoudynastie stehen, ist Kung über sie stets des Lobes voll.

DER ENTLEHNTE ESSIG

Der Meister sprach: »Wer will behaupten, daß We-Schong Gau* ehrlich sei? Als einst jemand ihn um Essig bat, da entlehnte er selber erst bei seinem Nachbar, um ihn hergeben zu können.«

* Es ist hier wohl ein Scherzwort überliefert. Der Jemand, der den Essig entlehnte, war wohl Kung selbst, und der Vorwurf der Unehrlichkeit ist natürlich lange nicht so ernst gemeint, wie humorlose Kommentatoren im Detail ausführen.

OHNE FALSCH SEIN

Der Meister sprach: »Glatte Worte, einschmeichelnde Mienen, übertriebene Höflichkeit – solcher Dinge schämte sich Dso Kiu Ming, ich schäme mich ihrer auch. Seinen Ärger verhehlen und mit seinem Feinde freundlich tun – dessen schämte sich Dso Kiu Ming, ich schäme mich dessen auch.«

25
HERZENSWÜNSCHE

Yen Yüan (Yen Hui) und Gi Lu (Dsï Lu) standen zu des Meisters Seite, da sprach er: »Nun sage mir einmal jeder seine Herzenswünsche.« Dsï Lu begann: »Ich möchte Pferd und Wagen und leichtes, kostbares Pelzwerk zum Anziehen. Ich wollte es mit meinen Freunden gemeinsam benützen, und wenn sie es mir verdürben, so wollte ich nicht böse werden.« Yen Yüan sprach: »Ich möchte mich nicht meines Guten rühmen und möchte nicht andere für mich bemühen.« – Darauf sprach Dsï Lu: »Nun möchten wir auch gern des Meisters Wünsche hören.« Der Meister sprach: »Den Alten möchte ich Frieden geben, mit Freunden möchte ich in Treuen verkehren, die Kleinen möchte ich herzen.«

26
SELBSTANKLAGE IST SELTEN

Der Meister sprach: »Es ist alles aus! Ich habe noch keinen gesehen, der seine eignen Fehler sehen und innerlich sich selbst verklagen könnte.«

27
BESCHEIDENHEIT DES MEISTERS

Der Meister sprach: »In einem Dorf von zehn Familien gibt es sicher Leute, die an Gewissenhaftigkeit und Wahrhaftigkeit mir gleich sind; warum sollten sie nicht auch in der Liebe zum Lernen mir gleich sein?«

BUCH VI

Der Inhalt dieses Buches ist dem des fünften verwandt. Es zeigt ebenfalls den Meister hauptsächlich im Verkehr mit seinen Jüngern. Es ist daher ebenso wie das letzte wertvoll, um das Milieu kennenzulernen, in dem sich der chinesische Weise bewegt hat, sowie die Schwierigkeiten, mit denen er im Kreis seiner Schule zu kämpfen hatte, und die Erfolge, die er erzielt hat. Der Schluß erhebt sich dann wieder zu weiteren, prinzipiellen Ausblicken.

1
FÜRSTENTUGEND

Der Meister sprach: »Yung, den kann man brauchen, um mit südlich gewandtem Gesicht (einen Staat zu beherrschen).« Dschung Gung fragte in betreff von Dsï Sang Be Dsï. Der Meister sprach: »Er geht; er ist großartig.« Dschung Gung sprach: »In seiner Gesinnung sorgfältig sein und in seiner Handlungsweise großartig beim Verkehr mit seinem Volk, das mag wohl gehen. Aber in seiner Gesinnung großartig sein und in seiner Handlungsweise großartig sein: ist das nicht zuviel Großartigkeit?« Der Meister sprach: »Yungs Worte sind richtig.«

Der Meister erwähnte einst, daß der Jünger Jan Yung imstande wäre, als Fürst einen Staat zu regieren. Der betreffende Jünger, der sich offenbar durch die Andeutung geschmeichelt fühlte, fragte im Anschluß daran, wie sich sein Freund, (der sonst unbekannte) Dsï Sang Be Dsï, zum Fürsten eigne. Der Meister erwiderte, dieser habe zum mindesten eine fürstliche Tugend, daß er nicht kleinlich sei, sondern etwas Freies, Großzügiges in seinem Wesen habe. Der Jünger knüpfte daran eine theoretische Erörterung, offenbar halb im Vorgefühl seiner neuen Würde: daß die Großartigkeit der äußeren Handlungsweise im Verkehr mit den Untertanen sehr löblich sei, wenn eine gewissenhafte Sorgfalt die Grundlage der Gesinnung bilde. Wenn dagegen Gesinnung und Handlungsweise aufs Groß-

artige gerichtet seien, dann führe die Großartigkeit zu weit. Der
Meister billigte liebevoll auch diesen Ausspruch.

Der Fürst Ai fragte, wer unter den Jüngern das Lernen liebe.
Meister Kung entgegnete und sprach: »Da war Yen Hui: er
liebte das Lernen. Er übertrug nie seinen Ärger, er machte
keinen Fehler zum zweitenmal. Zum Unglück war seine Zeit
kurz und er ist gestorben. Nun habe ich keinen mehr (wie
ihn). Ich habe von keinem mehr gehört, der so das Lernen
liebte.«

Dsï Hua hatte einen Auftrag in Tsi zu besorgen. Meister Jan
bat für dessen Mutter um Getreide. Der Meister sprach: »Gib
ihr ein Fu.« Er bat um mehr. Da sprach er: »Gib ihr ein Yü.«
Meister Jan gab ihr fünf Bing. Der Meister sprach: »Als
Tschï nach Tsi aufbrach, hatte er ein Gespann von fetten
Pferden und war gekleidet in leichtes Pelzwerk. Ich habe
gehört: der Edle hilft dem Bedürftigen, aber fügt nicht dem
Reichen noch mehr zu.«
Yüan Sï ward angestellt als Stadthauptmann. (Der Meister)
gab ihm 900 Maß Getreide. Er lehnte ab. Der Meister sprach:
»Nicht also! Du magst sie ja verwenden, um sie in deiner
Nachbarschaft und Umgebung zu verteilen.«

Zur Zeit als Kung in seinem Heimatstaat Lu als Justizminister
war, wurde der Schüler Dsï Hua nach dem Nachbarstaate Tsi ge-
sandt, um einen Auftrag zu erledigen. Sein Mitschüler Jan ergriff
die Gelegenheit, den Meister um Getreide für die in Lu zurück-
bleibende Mutter des Abgereisten zu bitten. Der Meister sprach:
»Gib ihr 6¹/₂ Scheffel.« Das schien dem Schüler Jan Dsï zu wenig,
und er verlangte mehr; da bewilligte der Meister 16 Scheffel. Der
Schüler Jan Dsï wollte nun von sich aus den Meister korrigieren
und ließ der Mutter auf eigne Verantwortung 800 Scheffel aus den

staatlichen Getreidespeichern geben. Hatte der Meister schon eine ganz ausgesprochene Absicht gehabt, indem er die bewilligten Getreidebeträge so niedrig bemessen hatte, so konnte er diese eigenwillige Ignorierung seiner Intentionen nicht ungerügt hingehen lassen. Er sprach: »Der Schüler Dsü Hua hat bei seiner Abreise nach Tsi in seinem Gefährt sowohl als in seiner Kleidung einen auffallenden Luxus zur Schau getragen, so daß eine außerordentliche Bewilligung einer Reiseentschädigung durchaus unangebracht ist; denn soviel ich weiß, ist es wohl Pflicht eines anständigen Menschen, Bedürftige zu unterstützen, nicht aber den Luxus der Reichen noch zu mehren.«

Daß dabei keine Knickerigkeit des Meisters im Spiel war, beweist die andre Geschichte, wohl ebenfalls aus der Zeit der öffentlichen Wirksamkeit des Meisters. Er hatte den Schüler Yüan Sï zum Stadthauptmann in seiner Heimatstadt gemacht und ihm das ordnungsmäßige Gehalt von 900 Maß Getreide bewilligt. Als der Schüler ablehnen wollte, daß er Bezahlung erhalte, nahm der Meister diese Ablehnung nicht an, mit dem Hinweis, daß, wenn er das Getreide nicht für seinen eignen Bedarf nötig habe, er es zu wohltätigen Zwecken in seiner Umgebung verwenden könne.

4

INDIVIDUELLER WERT

Der Meister redete von Dschung Gung und sprach: »Wenn das Junge einer fleckigen Kuh rot und wohlgehörnt ist, ob einer auch es nicht zu brauchen wünscht, sollten es darum die Berge und Flüsse verschmähen?«

Der Meister gebrauchte mit Beziehung auf den Jünger Dschung Gung, der, weil er einen schlechten Vater hatte, viel Anfechtung zu erdulden hatte, ein Gleichnis und sprach: »Wenn das Junge einer fleckigen Kuh selbst rot und wohlgehörnt ist, so mögen vielleicht die Menschen Bedenken tragen, es als Opfer darzubringen, doch werden die Geister der Berge und Flüsse ein solches Opfer nicht verschmähen.«

5

NUR DER ANFANG IST SCHWER

Der Meister sprach: »Mein Hui, wessen Herz drei Monate lang nicht von der Sittlichkeit abweicht, der wird dann in (seinem) übrigen (Leben) (alle) Monate und Tage sie zu erreichen vermögen.«

6
BRAUCHBARKEIT IM STAATSDIENST

Der Freiherr Gi Kang fragte in Beziehung auf Dschung Yu, ob man ihn im Staatsdienst brauchen könne. Der Meister sprach: »Yu ist entschieden. Im Staatsdienst tätig zu sein: was (für Schwierigkeiten) könnte das für ihn haben?« Er sprach: »Und Sï, kann man den im Staatsdienst brauchen?« Er antwortete: »Sï ist durchdringend. Im Staatsdienst tätig zu sein: was (für Schwierigkeiten) könnte das für ihn haben?« Er sprach: »Kiu, kann man den im Staatsdienst brauchen?« Er antwortete: »Kiu ist geschickt. Im Staatsdienst tätig zu sein: was (für Schwierigkeiten) könnte das für ihn haben?«

7
ZURÜCKHALTUNG

Der Älteste der Familie Gi wollte Min Dsï Kiën* als Stadthauptmann von Bi (Fe) anstellen. Min Dsï Kiën erwiderte (dem Boten): »Lehne es auf höfliche Weise für mich ab. Wenn nochmals einer kommen sollte, um mich zu bitten, so werde ich bis dahin sicher über den Wenfluß sein.«

* Der Jünger Min Dsï Kiën spielt in den Lun Yü an verschiedenen Stellen eine sehr bedeutende Rolle, während sonst nicht viel von ihm bekannt ist. Seine Zurückhaltung erklärt sich daraus, daß er mit der Usurpatorenfamilie Gi nichts zu tun haben wollte. Daher diese überaus bestimmte Absage mit der Drohung, falls man ihn nicht in Ruhe lasse, außer Landes nach Tsi (der Wenfluß ist nördlich von Lu im Staate Tsi) zu gehen, um dem Einfluß der Familie Gi sich zu entziehen.

8
HARTES LOS

Be Niu war krank. Der Meister fragte nach ihm und ergriff durch das Fenster seine Hand und sprach: »Er geht uns verloren. Es ist Fügung. Solch ein Mann und hat solch eine Krankheit! Solch ein Mann und hat solch eine Krankheit!«

9
FRÖHLICHKEIT IN ARMUT

Der Meister sprach: »Hui war doch wirklich ein guter Mensch! Eine Holzschüssel voll Reis, eine Kürbisschale voll Wasser, in einer elenden Gasse. Andre Menschen hätten es in einer so trostlosen Lage gar nicht ausgehalten. Aber Hui ließ sich seine Fröhlichkeit nicht rauben. Hui war doch wirklich ein guter Mensch!«

10
VORZEITIGER VERZICHT

Jan Kiu sprach: »Nicht daß ich des Meisters Lehre nicht liebte, aber meine Kraft reicht nicht aus dafür.« Der Meister sprach: »Wem seine Kraft nicht ausreicht, der bleibt auf halbem Wege liegen, aber du beschränkst dich ja von vornherein selber.«

11
ZWECK DER WISSENSCHAFT

Der Meister sagte zu Dsï Hia und sprach: »Sei du als Edler ein Gelehrter und nicht als Gemeiner ein Gelehrter.«

12
WIE EIN BEAMTER
SEINE LEUTE KENNENLERNT

Dsï Yu war Stadthauptmann in Wu Tschong. Der Meister sprach: »Hast du Menschen gefunden –?« Er sprach: »Da ist Tan-Tai Mië-Ming; der wandelt nie auf Nebenwegen, und wenn es sich nicht um öffentliche Angelegenheiten handelt, ist er noch nie in mein Amtshaus gekommen.«

13
STOLZE BESCHEIDENHEIT

Der Meister sprach: »Mong Dschï Fan war fern von Prahlerei. Als er (nach einer verlornen Schlacht) auf der Flucht zuhinterst war und im Begriff war, ins Stadttor einzureiten, da trieb er sein Pferd an und sprach: ›Es ist nicht mein Mut, daß ich zuhinterst bin; mein Pferd läuft nicht.‹«

14
WAS EINEN FÜRSTEN RETTEN KANN

Der Meister sprach: »Wer nicht die Redegabe des Priesters To hat und hat die Schönheit Dschaus von Sung, der wird schwerlich der Welt von heute entgehen.«

Der Meister sprach: »Ein Fürst kann sich durch die Schwierigkeiten der gegenwärtigen Zeitläufte nur retten, wenn er einen Mann zur Seite hat von der Redegabe des Priesters To, nicht dadurch, daß er in seiner Umgebung nur Leute von äußerer Körperschönheit hat, wie sie Prinz Dschau von Sung besaß. Die Welt von heute verlangt Talente in der Umgebung eines Fürsten, nicht äußere Reize.«

15
DAS TOR DES LEBENS

Der Meister sprach: »Wer kann hinausgehen, es sei denn durch die Tür; warum doch wandeln die Menschen nicht auf diesem Pfade?«

16
DAS GLEICHGEWICHT
ZWISCHEN GEHALT UND FORM

Der Meister sprach: »Bei wem der Gehalt die Form überwiegt, der ist ungeschlacht, bei wem die Form den Gehalt überwiegt, der ist ein Schreiber. Bei wem Form und Gehalt im Gleichgewicht sind, der erst ist ein Edler.«

17
AUFRICHTIGKEIT ALS LEBENSPRINZIP

Der Meister sprach: »Der Mensch lebt durch Geradheit. Ohne sie lebt er von glücklichen Zufällen und Ausweichen.«

STUFEN DER
INTELLEKTUELLEN BILDUNG

Der Meister sprach: »Der Wissende ist noch nicht so weit wie der Forschende, der Forschende ist noch nicht so weit wie der heiter (Erkennende).«

19
ESOTERIK DER WISSENSCHAFT

Der Meister sprach: »Wer über dem Durchschnitt steht, dem kann man die höchsten Dinge sagen. Wer unter dem Durchschnitt steht, dem kann man nicht die höchsten Dinge sagen.«

20
WEISHEIT UND SITTLICHKEIT I

Fan Tschï fragte, was Weisheit sei. Der Meister sprach: »Seiner Pflicht gegen die Menschen sich weihen, Dämonen und Götter ehren und ihnen fern bleiben, das mag man Weisheit nennen.«
Er fragte, was Sittlichkeit sei. Er sprach: »Der Sittliche setzt die Schwierigkeit voran und den Lohn hintan: das mag man Sittlichkeit nennen.«

21
WEISHEIT UND SITTLICHKEIT II

Der Meister sprach: »Der Wissende freut sich am Wasser, der Fromme (›Sittliche‹) freut sich am Gebirge. Der Wissende ist bewegt, der Fromme ist ruhig; der Wissende hat viele Freuden, der Fromme hat langes Leben.«

22
STUFEN DES VERFALLS

Der Meister sprach: »Wenn Tsi reformiert würde, so könnte es so weit kommen wie Lu. Wenn Lu reformiert würde, so könnte es auf den rechten Weg kommen.«

Der Meister sprach: »Der militärische Staat Tsi (der im Norden Schantungs lag) würde nach einer durchgreifenden Staatsreform auf den Standpunkt gebracht werden können, auf dem der Staat Lu (in Südschantung) jetzt schon sich befindet (dank des fortdauernden historischen Einflusses des großen Fürsten Dschou). Wenn der Staat Lu eine durchgreifende Reform durchmachen würde, so könnte er das Ideal eines nach den Vorbildern des Altertums wohl regierten Staates erreichen.«

23
FALSCHE BENENNUNGEN

Der Meister sprach: »Eine Eckenschale ohne Ecken: was ist das für eine Eckenschale, was ist das für eine Eckenschale!«

Der Meister hielt sich darüber auf, daß ein Opfergefäß, das früher eckig gewesen war, aber im Lauf der Zeit abgerundet hergestellt zu werden pflegte, noch immer mit der alten Bezeichnung genannt wurde, die dem Wesen nun gar nicht mehr entsprach: ein Gleichnis für die Zustände der damaligen Zeit, die auch nichts mehr mit den Einrichtungen der guten alten Zeit gemein hatten als den bloßen Namen. Diese Begriffsverwirrungen waren nach Kung einer der schlimmsten Übelstände, da ohne adäquate Begriffe der Mensch der Außenwelt hilflos und machtlos gegenübersteht.

24
DUMME GUTMÜTIGKEIT

Dsai Wo fragte und sprach: »Wenn ein sittlich-guter Mensch auch nur sagen hörte, es sei ein sittlicher Mensch im Brunnen, so würde er wohl sofort nachspringen.« Der Meister sprach: »Wozu denn das? Ein Edler würde hingehen, aber nicht hineinspringen. Man kann ihn belügen, aber nicht zum Narren haben.«

25
SELBSTERZIEHUNG

Der Meister sprach: »Ein Edler, der eine umfassende Kenntnis der Literatur besitzt und sich nach den Regeln der Moral richtet, mag es wohl erreichen, Fehltritte zu vermeiden.«

26

VERKEHR MIT
EINER VERRUFENEN FÜRSTIN

Der Meister besuchte die Nan Dsï. Dsï Lu war mißvergnügt.
Der Meister verschwor sich und sprach: »Habe ich unrecht
gehandelt, so möge der Himmel mich hassen, so möge der
Himmel mich hassen.«

27
MASS UND MITTE

Der Meister sprach: »Maß und Mitte sind der Höhepunkt
menschlicher Naturanlage. Aber unter dem Volk sind sie
seit langem selten.«

28
DAS WESEN DER SITTLICHKEIT

Dsï Gung sprach: »Wenn einer dem Volke reiche Gnade
spendete und es vermöchte, die gesamte Menschheit zu er-
lösen, was wäre ein solcher? Könnte man ihn sittlich nennen?« Der Meister sprach: »Nicht nur sittlich, sondern gött-
lich wäre der zu nennen. Selbst Yau und Schun waren sich
mit Schmerzen (der Schwierigkeit davon) bewußt. Was den
Sittlichen anlangt, so festigt er andere, da er selbst wünscht,
gefestigt zu sein, und klärt andre auf, da er selbst wünscht,
aufgeklärt zu sein. Das Nahe als Beispiel nehmen können
(nach sich selbst die anderen zu beurteilen verstehn), das
kann als Mittel zur Sittlichkeit bezeichnet werden.«

BUCH VII

Während die letzten zwei Bücher sich mit Aussprüchen Kungs über Schüler und Zeitgenossen beschäftigten, gibt das 7. Buch hauptsächlich Äußerungen über den Meister, teils von ihm selbst, teils von andern. Dieses biographische Moment ist der Grund, warum es bei der Redaktion hinter die beiden vorangehenden gestellt wurde.

1
RESIGNATION

Der Meister sprach: »Beschreiben und nicht machen, treu sein und das Altertum lieben: darin wage ich mich mit unserem alten Pong zu vergleichen.«*

* Wer der »alte Pong« eigentlich ist, läßt sich nicht feststellen. Die einen sehn darin Lau dsï, andere Pong Dsu, der 700–800 Jahre gelebt haben soll: der chinesische Methusalah, wieder andre einen nicht näher bekannten Mann aus der Zeit der Yindynastie.

2
DER GEIST DER WISSENSCHAFT

Der Meister sprach: »Schweigen und so erkennen, forschen und nicht überdrüssig werden, die Menschen belehren und nicht ermüden: was kann ich dazu tun?«

3
BETRÜBNIS ÜBER DIE
UNVOLLKOMMENHEIT DES MENSCHEN

Der Meister sprach: »Daß Anlagen nicht gepflegt werden, daß Gelerntes nicht besprochen wird, daß man seine Pflicht kennt und nicht davon angezogen wird, daß man Ungutes an sich hat und nicht imstande ist, es zu bessern: das sind Dinge, die mir Schmerz machen.«

Wenn der Meister unbeschäftigt war, so war er heiter und leutselig.

5
DER TRAUM

Der Meister sprach: »Es geht abwärts mit mir, seit langer Zeit habe ich nicht mehr im Traum den Fürsten Dschou gesehen!«[*]

[*] Der Fürst Dschou, der Sohn des Königs Wen und Bruder des Königs Wu, gehört zu den Begründern der Dschoudynastie. Er wurde von seinem Bruder als Lehnsfürst des Staates Lu eingesetzt, daher die exemte Stellung, die der an sich kleine Staat auch später bewahrt hat. Er war für Kung das hochverehrte Vorbild, das ihm im Wachen und im Traum immer vor Augen stand. Vielleicht war gerade der Umstand, daß der Fürst Dschou, ohne selbst auf dem Thron zu sitzen, so großen Einfluß ausüben konnte, ein Grund mehr für Kung, sich ihm verwandt zu fühlen. Im Alter, als er seine Hoffnungen allmählich zerrinnen sah, als er so resignierte Worte sprach wie das in Lun Yü VII, 1, da hörten auch die Träume vom Fürsten Dschou auf, daher hier diese Klage.

6
VIERFACHER WEG DER BILDUNG

Der Meister sprach: »Sich das Ziel setzen im Pfad, sich klammern an die guten Naturanlagen, sich stützen auf die Sittlichkeit, sich vertraut machen mit der Kunst.«

7
PÄDAGOGISCHE GRUNDSÄTZE
I: BEZAHLUNG

Der Meister sprach: »Von denen an, die ein Päckchen Dörrfleisch anbrachten, habe ich noch nie einen von meiner Belehrung ausgeschlossen.«

Der Meister sprach: »Ich mache bei meinem Unterricht keinen Unterschied zwischen arm und reich. Wenn einer auch nur die allergeringste Gabe darbringt, um dadurch zu zeigen, daß es ihm um die Sache zu tun ist, so ist er mir willkommen.«

8
PÄDAGOGISCHE GRUNDSÄTZE
II: SELBSTTÄTIGKEIT DES SCHÜLERS

Der Meister sprach: »Wer nicht strebend sich bemüht, dem helfe ich nicht voran, wer nicht nach dem Ausdruck ringt, dem eröffne ich ihn nicht. Wenn ich eine Ecke zeige, und er kann es nicht auf die andern drei übertragen, so wiederhole ich nicht.«

9
WEINE MIT DEN WEINENDEN

Der Meister, wenn er an der Seite eines Mannes in Trauer aß, aß sich nicht satt. Wenn der Meister an einem Tage geweint hatte, so sang er an demselben Tage nicht.

10
GELASSENHEIT

Der Meister sagte zu Yen Hui und sprach: »Wenn gebraucht, zu wirken, wenn entlassen, sich zu verbergen: nur ich und du verstehen das.«
Dsï Lu sprach: »Wenn der Meister drei Heere zu führen hätte, wen würde er dann mit sich nehmen?«
Der Meister sprach: »Wenn einer mit der bloßen Faust einem Tiger zu Leibe rückt, über den Fluß setzt ohne Boot und den Tod sucht ohne Besinnung: einen solchen würde ich nicht mit mir nehmen, sondern es müßte einer sein, der, wenn er eine Sache unternimmt, besorgt ist, der gerne überlegt und etwas zustande bringt.«

11
DIE JAGD NACH DEM GLÜCK

Der Meister sprach: »Wenn der Reichtum (vernünftigerweise) erjagt werden könnte, so würde ich es auch tun, und sollte ich mit der Peitsche in der Hand dienen; da man ihn aber nicht erjagen kann, so folge ich meinen Neigungen.«

VORSICHT

Die Umstände, bei denen der Meister besondere Vorsicht
übte, waren Fasten, Krieg und Krankheit.

13

DIE MACHT DER MUSIK

Als der Meister in Tsi sich mit der Schaumusik* beschäftigte,
da vergaß er drei Monate lang den Geschmack des Fleisches.
Er sprach: »Ich hätte nicht gedacht, daß die Musik eine solche
Höhe erreichen könne.«

* Die Schaumusik war die zu Kungs Zeit in dem Staate Tsi noch bekannte alte
chinesische Musik. Sie wird dem Kaiser Schun zugeschrieben. Der tiefe Eindruck,
den Kung von ihr erhielt, zeigt uns deutlich, daß die Musik im chinesischen
Altertum etwas ganz anderes war als im heutigen China, wo sie eine recht
untergeordnete Rolle spielt. Die – heute vollständig verlorengegangene – alte
chinesische Musik gab eine Vermittlung des geistigen Wesens ihres Urhebers.
So bringt die Schaumusik das Wesen des alten Herrschers Schun dem Kung vor
die Seele in unmittelbarem Verständnis. Der Abschnitt ist daher mit dem Träumen von dem Fürsten von Dschou verwandt.

14

INDIREKTE FRAGE*

Jan Yu sprach: »Ob der Meister für den Fürsten von We
ist?« Dsï Gung sprach: »Gut, ich werde ihn fragen.« Darauf
ging er hinein und sprach: »Was waren Be J und Schu Tsi
für Menschen?« (Der Meister) sprach: »Es waren Würdige
des Altertums.« (Der Schüler) fragte weiter: »(Waren sie
mit ihrem Lose) unzufrieden?« (Der Meister) sprach: »Sie
erstrebten Sittlichkeit und erlangten sie. Was (hätten sie)
unzufrieden (sein sollen)?« Der Schüler ging hinaus und
sprach: »Der Meister ist nicht für ihn.«

* Der Grund für diese indirekte Art zu fragen liegt in dem Umstand, daß gerade
zu jener Zeit der Meister im Gebiet von We war. Eine direkte Kritik der
Thronverhältnisse hätte daher den Gesetzen des Dekorums widersprochen. Daher
mußte Dsï Gung eine Methode anwenden, die es dem Meister möglich machte, an
der Hand eines historischen Vorfalls sein Urteil abzugeben. Was Be J und Schu
Tsi angeht, so war ihr Verhalten gerade das Gegenteil von dem des Fürsten von
We, und indem Kung es nicht nur billigte, sondern sogar bewunderte, sprach er
sein Urteil über den Fürsten.

15
DAS GLÜCK
EINE ZIEHENDE WOLKE

Der Meister sprach: »Gewöhnliche Speise zur Nahrung, Wasser als Trank und den gebogenen Arm als Kissen: auch dabei kann man fröhlich sein; aber ungerechter Reichtum und Ehren dazu sind für mich nur flüchtige Wolken.«

16
DAS BUCH DES WANDELS

Der Meister sprach: »Wenn mir noch einige Jahre vergönnt wären, daß ich das Buch des Wandels* fertig studieren könnte, so möchte ich wohl wenigstens grobe Verfehlungen zu vermeiden imstande sein.«

* Das »Buch des Wandels« I Ging ist wohl dasjenige chinesische Buch, das die ältesten Bestandteile enthält. Es ist eigentlich ein Buch der Wahrsagung. Die der Wahrsagung zugrunde liegenden Prinzipien beziehen sich auf die Einrichtung der Natur, den Zusammenhang und die Entwicklung der Angelegenheiten des Menschenlebens und das Verhältnis von Mensch und Welt. Es ist überaus schwer verständlich, und die Chinesen finden jede Wahrheit hineingeheimnißt. Kungs esoterische Lehren beruhen hauptsächlich auf seinen Prinzipien. Er hat es in seinem Alter so oft gelesen, daß der Einband dreimal erneuert werden mußte.

17
THEMEN DER LEHRE

Was der Meister mit besonderer Sorgfalt besprach, waren die Lieder, die Geschichte, das Halten der Riten. Das alles besprach er mit Sorgfalt.

18
WER IST KUNG?

Der Fürst von Schê fragte den Dsï Lu über Kung Dsï. Dsï Lu gab ihm keine Antwort. Der Meister sagte (nachher): »Warum hast du nicht einfach gesagt: Er ist ein Mensch, der in seinem Eifer (um die Wahrheit) das Essen vergißt und in seiner Freude (am Erkennen) alle Trauer vergißt und nicht merkt, wie das Alter herankommt.«

19
DIE QUELLE
VON DES MEISTERS WISSEN

Der Meister sprach: »Ich bin nicht geboren mit der Kenntnis (der Wahrheit); ich liebe das Altertum und bin ernst im Streben (nach ihr).«

20
SCHWEIGENDES VORÜBERGEHEN

Der Meister sprach niemals über Zauberkräfte und widernatürliche Dämonen.

21
ÜBERALL LEHRER ZU FINDEN

Der Meister sprach: »Wenn ich selbdritt gehe, so habe ich sicher einen Lehrer. Ich suche ihr Gutes heraus und folge ihm, ihr Nichtgutes und verbessere es.«

22
GOTTVERTRAUEN

Der Meister sprach: »Gott hat den Geist in mir gezeugt, was kann Huan Tui mir tun?«

Der Meister kam auf seiner Wanderung einmal durch den Staat Sung. Dort ruhte er mit seinen Schülern unter einem großen Baume und übte mit ihnen die heiligen Gebräuche ein. Diese Gelegenheit ergriffen die Sendlinge eines dem Meister übelwollenden Beamten von Sung, Huan Tui, und suchten den Meister zu töten, indem sie den Baum fällten. Die Jünger, erschrocken, rieten zur eiligen Flucht; der Meister aber blieb gelassen. Er wußte sein Leben in einer höheren Hand; er war sich bewußt, daß, da er einen gottgewollten Beruf habe, ihm Menschen nichts anhaben könnten.

23
OFFENHEIT

Der Meister sprach: »Meine Kinder, ihr denkt, ich habe Geheimnisse? Ich habe keine Geheimnisse vor euch. Mein ganzer Wandel liegt offen für euch, meine Kinder. So ist es meine Art.«

UNTERRICHT IN DEN ELEMENTEN

Der Meister lehrte vier Gegenstände: die Kunst, den Wandel, die Gewissenhaftigkeit, die Treue.

AUF DER SUCHE NACH MENSCHEN

Der Meister sprach: »Einen Gottmenschen zu sehen, ist mir nicht vergönnt; wenn es mir vergönnt wäre, einen Edlen zu sehen, dann wäre es schon gut. Einen guten Menschen zu sehen, ist mir nicht vergönnt; wenn es mir vergönnt wäre, einen Beharrlichen zu sehen, wäre es schon gut. Aber nicht haben und tun, als habe man, leer sein und tun, als sei man voll, in Verlegenheit sein und tun, als lebe man herrlich und in Freuden: auf diese Weise ist es schwer, beharrlich zu sein.«

FISCHFANG UND JAGD

Der Meister fing Fische mit der Angel, aber nie mit dem Netz; er schoß Vögel, aber nie, wenn sie im Neste saßen.

ERST WÄGEN, DANN WAGEN

Der Meister sprach: »Es mag auch Menschen geben, die, ohne das Wissen zu besitzen, sich betätigen. Ich bin nicht von der Art. Vieles hören, das Gute davon auswählen und ihm folgen, vieles sehen und es sich merken: das ist wenigstens die zweite Stufe der Weisheit.«

WEITHERZIGKEIT

Die Leute von Hu Hiang waren schwierig im Gespräch. Ein Knabe (aus jener Gegend) suchte den Meister auf. Die Jünger

hatten Bedenken. Der Meister sprach: »Laßt ihn kommen,
heißt ihn nicht gehen! Warum wollt ihr so genau sein? Wenn
ein Mensch sich selbst reinigt, um zu mir zu kommen, so
billige ich seine Reinigung, ohne ihm seine früheren Taten
vorzurücken.«

29
DIE MACHT DES
WILLENS ZUR SITTLICHKEIT

Der Meister sprach: »Ist denn die Sittlichkeit gar so fern?
Sobald ich die Sittlichkeit wünsche, so ist diese Sittlichkeit
da.«

30
VERSUCHUNG

Der Justizminister des Staates Tschen fragte, ob der Fürst
Dschau (von Lu) ein Mann sei, der die Regeln des Anstandes kenne. Meister Kung sprach: »Ja, er kennt die Regeln
des Anstandes.« Als Meister Kung sich zurückgezogen hatte,
machte der Minister eine Verbeugung vor dem Jünger Wu
Ma Ki, daß er herankomme, und sprach: »Ich habe doch
immer gehört, der Edle sei kein Schranz; aber es scheint, zu-
weilen ist der Edle doch auch ein Schranz. Euer Fürst hat
eine Prinzessin aus dem Staate Wu geheiratet, die mit ihm
denselben Familiennamen* trug, so daß er selbst für nötig
fand, sie einfach die Fürstin von Wu (unter Weglassung des
Familiennamens Gi) zu nennen. Wenn dieser Fürst Anstand
hat, dann weiß ich nicht, wer keinen hat.« – Der Jünger Wu
Ma Ki hinterbrachte die Sache dem Meister. Der Meister
sprach: »Fürwahr, glücklich bin ich zu nennen: wenn ich
Fehler mache, so bemerken die Menschen sie sicher.«

* Die regierende Familie von Wu war ebenso wie die von Lu direkt mit dem
königlichen Hause der Dschoudynastie verwandt (vgl. VIII, 1 Anmerkung 1);
beide hatten den Familiennamen Gi. Während man sonst bei der Ankunft der
Braut den Familiennamen außer dem Namen des Staates, von dem sie kam, zu
nennen pflegte in der öffentlichen Bekanntgabe an das Volk, hatte es der Fürst
Dschau in diesem Fall für besser gehalten, den Familiennamen der Braut ganz zu

unterdrücken und sie einfach als Prinzessin zu bezeichnen, da es in China bis auf den heutigen Tag als grober Verstoß gegen den Anstand gilt, wenn man eine Frau desselben Familiennamens heiratet. Dieses Vertuschungssystem des Fürsten hatte in den Nachbarstaaten wohl noch mehr Hohn herausgefordert. Daher der mephistophelische Spott, mit dem der Minister den Kung vor seinem eignen Jünger zu treffen sucht. Kung hatte die irreführende Antwort zunächst gegeben, um sich seines Fürstenhauses anzunehmen und keinen Vorwurf auf den Fürsten Dschau kommen zu lassen. Schön ist der Zug, wie Kung den Vorwurf ohne Gegenwehr auf sich sitzen läßt; damit deckt er den Fürsten vor Verunglimpfung.

31
GESANG UND BEGLEITUNG

Wenn der Meister mit einem Mann zusammen war, der sang und es gut machte, so ließ er ihn sicher wiederholen und sang das zweitemal selber mit.

32
THEORIE UND PRAXIS

Der Meister sprach: »Was die literarische Ausbildung anlangt, kann ich es durch Anstrengung wohl andern gleichtun. Aber (die Stufe) eines Edlen, der in seiner Person (seine Überzeugungen) in Handeln umsetzt, habe ich noch nicht erreicht.«

33
GENIALITÄT UND FLEISS

Der Meister sprach: »Was Genialität und Sittlichkeit anlangt: wie könnte ich wagen (darauf Anspruch zu machen); nur, daß ich ohne Überdruß danach strebe und andre lehre, ohne müde zu werden: das mag wohl vielleicht gesagt werden.« Gung Si Hua sprach: »Ganz recht; das eben können wir Jünger nicht lernen.«

34
ÜBER DAS GEBET

Der Meister war schwer krank. Dsï Lu bat, für ihn beten lassen zu dürfen. Der Meister sprach: »Gibt es so etwas?« Dsï Lu erwiderte und sprach: »Ja, es gibt das. In den Lobgesängen heißt es: ›Wir beten zu euch, ihr Götter oben und ihr Erdgeister unten.‹« Der Meister sprach: »Ich habe lange schon gebetet.«*

* Das Wort Kungs ist nicht ganz eindeutig. Jedenfalls ist es so zu verstehen, daß Kung das Wortgeplapper der Gebetslitaneien ablehnt.

35
DAS KLEINERE ÜBEL

Der Meister sprach: »Verschwendung führt zu Unbotmäßigkeit. Sparsamkeit führt zu Ärmlichkeit. Aber immer noch besser als Unbotmäßigkeit ist die Ärmlichkeit.«

36
DER EDLE UND DER GEMEINE:
SEELENRUHE UND SORGEN

Der Meister sprach: »Der Edle ist ruhig und gelassen, der Gemeine ist immer in Sorgen und Aufregung.«

37
DES MEISTERS CHARAKTER

Der Meister war in seinem Wesen mild und doch würdevoll. Er war Ehrfurcht gebietend und doch nicht heftig. Er war ehrerbietig und doch selbstbewußt.

BUCH VIII

Das Buch VIII enthält 21 Abschnitte, von denen sich der erste und die vier letzten mit großen Männern der Vorzeit beschäftigen. Abschnitt 3–7 enthalten Äußerungen und Anekdoten aus dem Leben des Jüngers Dsong Schen, der hier auch wieder das Ehrenprädikat »Dsï« (Meister) erhält, was auf die Herkunft dieses Traditionsstoffes aus seiner Schule schließen läßt. Die übrigen elf Abschnitte enthalten Aussprüche Kungs über Themen der Charakterbildung, Staatsregierung und des Studiums.

1
VERBORGENE VERDIENSTE

Der Meister sprach: »Tai Be: von ihm kann man sagen, daß er die höchste Tugend erreicht hat. Dreimal verzichtete er auf das Reich, und das Volk kam nicht dazu, ihn darum zu loben.«

2
UNVOLLKOMMENHEIT
GUTER GESINNUNG OHNE TAKT

Der Meister sprach: »Ehrerbietung ohne Form wird Kriecherei, Vorsicht ohne Form wird Furchtsamkeit, Mut ohne Form wird Auflehnung, Aufrichtigkeit ohne Form wird Grobheit.
Wenn der Fürst seine Verwandten hochhält, so wird das Volk sich entwickeln zur Sittlichkeit; wenn er seine alten Freunde nicht vernachlässigt, so wird das Volk nicht niedriggesinnt.«

3
VORSICHT IM LEIBESLEBEN

Meister Dsong war krank. Da rief er seine Schüler zu sich und sprach: »Deckt meine Füße auf, deckt meine Hände auf (und sehet, daß sie unverletzt sind). Im Liede heißt es: ›Wandelt mit Furcht und Zittern, als stündet ihr vor einem tiefen Abgrund, als trätet ihr auf dünnes Eis.‹ Nun und immerdar ist es mir gelungen, meinen Leib unversehrt zu halten,* o meine Kinder.«

* Der Leib, der von den Eltern unversehrt überkommen ist, soll gewissenhaft geschont werden, damit er keinen Schaden nimmt. Das ist auch eine Forderung der Pietät. Der zugrunde liegende Gedanke ist das Verantwortlichkeitsgefühl dem Leib als einem anvertrauten Gut gegenüber.

4
DAS SCHWANENLIED

Meister Dsong war krank. Da kam der Freiherr Mong Ging und fragte (nach seinem Befinden). Meister Dsong redete und sprach also: »Wenn der Vogel am Sterben ist, so ist sein Gesang klagend; wenn der Mensch am Sterben ist, so sind seine Reden gut. Drei Grundsätze sind, die ein Fürst hochhalten muß: In seinem Benehmen und allen Bewegungen halte er sich fern von Rohheit und Nachlässigkeit, er ordne seinen Gesichtsausdruck, daß er Vertrauen einflößt, er bemüht sich, bei allen seinen Reden sich fernzuhalten von Gemeinheit und Unschicklichkeit. Was dagegen die Opfergefäße (und derartige spezielle Fachkenntnisse) anlangt, so gibt es dafür berufene Beamte.«

5
DEMUT

Meister Dsong sprach: »Begabt sein und doch noch von Unbegabten lernen; viel haben und doch noch von solchen lernen, die wenig haben; haben als hätte man nicht, voll sein als wäre man leer; beleidigt werden und nicht streiten: einst hatte ich einen Freund, der in allen Dingen so handelte.«

6
TREUE EINES
FÜRSTLICHEN VORMUNDS

Meister Dsong sprach: »Wem man einen jungen verwaisten (Fürsten) anvertrauen kann, und wem der Befehl über einen

Großstaat übergeben werden kann, und wer auch gegenüber von großen Dingen sich nichts rauben läßt: ist das ein edler Mensch? Das ist ein edler Mensch!«

7
DIE SCHWERE LAST
UND DER WEITE WEG

Meister Dsong sprach: »Ein Lernender kann nicht sein ohne großes Herz und starken Willen; denn seine Last ist schwer, sein Weg ist weit. Die Sittlichkeit, die ist seine Last: ist sie nicht schwer? Im Tode erst ist er am Ziel: ist das nicht weit?«

8
POESIE, FORMEN, MUSIK

Der Meister sprach: »Wecken durch die Lieder, festigen durch die Formen, vollenden durch die Musik.«

9
ÜBER DAS VOLK

Der Meister sprach: »Das Volk kann man dazu bringen, (dem Rechten) zu folgen, aber man kann es nicht dazu bringen, es zu verstehen.«

10
GRÜNDE DES UMSTURZES

Der Meister sprach: »Wenn einer Mut liebt und die Armut haßt, so macht er Aufruhr; wenn ein Mensch nicht sittlich ist und man haßt ihn zu sehr, so macht er Aufruhr.«

11
TALENTE OHNE MORALISCHEN WERT

Der Meister sprach: »Wenn einer die Schönheit der Talente des Fürsten Dschou hat, aber bei ihrer Anwendung hochfahrend und knickerig ist, so ist das übrige keines Blickes wert.«

12
HÄUFIGKEIT DES BROTSTUDIUMS

Der Meister sprach: »Drei Jahre lernen, ohne nach Brot zu gehen, das ist nicht leicht zu erreichen.«

13
CHARAKTERBILDUNG
UND IHR VERHÄLTNIS ZUR WELT

Der Meister sprach: »(1.) Aufrichtig und wahrhaft, bis zum Tode treu dem rechten Weg: (2.) ein gefährdetes Land nicht betreten, in einem aufständischen Land nicht bleiben: wenn auf Erden Ordnung herrscht, dann sichtbar werden, wenn Unordnung herrscht, verborgen sein. (3.) Wenn in einem Lande Ordnung herrscht, so ist Armut und Niedrigkeit eine Schande; wenn in einem Lande Unordnung herrscht, dann ist Reichtum und Ansehen eine Schande.«

14
GEGEN KAMARILLAWIRTSCHAFT

Der Meister sprach: »Wer nicht das Amt dazu hat, der kümmere sich nicht um die Regierung.«

15
DER KAPELLMEISTER DSCHÏ
UND DAS GUAN DSÜ LIED

Der Meister sprach: »Als der Kapellmeister Dschï sein Amt antrat, da kamen die vollen Versschlüsse des Guan Dsü Liedes zu mächtiger Wirkung. Wie füllten sie das Ohr!«

16
SCHATTEN OHNE LICHT

Der Meister sprach: »Zugreifend und doch nicht gradeaus, unwissend und doch nicht aufmerksam, einfältig und doch nicht gläubig: mit solchen Menschen weiß ich nichts anzufangen.«

DAS GEHEIMNIS DES LERNENS

Der Meister sprach: »Lerne, als hättest du's nicht erreicht, und dennoch fürchtend, es zu verlieren.«

DIE HEILIGEN HERRSCHER
DES ALTERTUMS I: SCHUN UND YÜ

Der Meister sprach: »Erhaben war die Art, wie Schun und Yü den Erdkreis beherrschten, ohne daß sie etwas dazu taten.«

DIE HEILIGEN HERRSCHER
DES ALTERTUMS II: YAU

Der Meister sprach: »Groß wahrlich ist die Art, wie Yau Herrscher war. Erhaben: nur der Himmel ist groß, nur Yau entsprach ihm. Unendlich: das Volk konnte keinen Namen finden. Erhaben war die Vollendung seiner Werke, strahlend waren seine Lebensordnungen.«

Yau zeigte die wahre Herrschergröße. Er legte den Grund der Kultur für alle Zeiten; denn er richtete sich in seinen Einrichtungen nach den ewigen göttlichen Weltgesetzen und brachte so das Leben der Menschheit in Harmonie mit dem Weltganzen. So überragend war seine Größe, daß sie wie Gottes Größe die Begriffe der Menschen überstieg und er scheinbar ganz in den Hintergrund trat. Auf diese Weise brachte er die wirtschaftliche Neuschöpfung hervor, indem er durch Yü die Wasserläufe regulieren ließ und so erst die Möglichkeit eines gesicherten Lebens schuf. Yüs Name wurde dabei gepriesen, er selbst verschwand hinter seinem Werk. So vollendete er die moralische und ästhetische Sozialordnung durch Lebensordnungen und Musik. Schuns Name ist mit diesen Schöpfungen verknüpft, die Yaus Genie ins Leben rief und die das Licht der Kultur erst aufleuchten ließen, das leuchtet bis auf den heutigen Tag. Diese Art, Werke und Lebensordnungen von ewiger Notwendigkeit zu schaffen, deren Lebensfähigkeit sich gleichsam ganz von ihm loslöste und ihnen selbständiges Dasein verlieh, das ist die überragende Größe des Schöpfers unserer Kultur.

Schun hatte an Beamten fünf Männer, und der Erdkreis war
in Ordnung. König Wu sprach: »Ich habe an tüchtigen Beamten zehn Menschen.« Meister Kung sprach: »Genies sind
schwer zu finden: ist das nicht ein wahres Wort? Die Zeit
des Zusammentreffens von Yau (Tang) und Schun (Yü) ist
dadurch so blühend.« Doch war eine Frau darunter, so daß
es im ganzen nur neun Männer waren.

»Von den drei Teilen des Erdkreises zwei zu besitzen und
dennoch dem Hause Yin treu zu bleiben: das war die Tugend
des Gründers des Hauses Dschou. Von ihm kann man sagen,
daß er die höchste Tugend erreicht hat.«

Der Meister sprach: »An Yü kann ich keinen Makel entdecken. Er war sparsam in Trank und Speise, aber er war
fromm vor Gott. Er trug selbst nur schlichte Kleidung, aber
(beim Gottesdienst) war er in Purpur und Krone zugegen.
Er wohnte in einer geringen Hütte, aber er verwandte alle
Mittel auf die Regulierung der Gewässer. An Yü kann ich
keinen Makel entdecken.«*

---

* Dieser Abschnitt verteidigt die große Einfachheit Yüs, der vom Pflug zum
Thron aufgestiegen war. Es wird von ihm erzählt, daß er unter dem Essen sich
oft zehnmal von Bittstellern unterbrechen ließ und daß er beim Waschen des
Morgens dreimal sein Haar provisorisch aufstecken mußte, um Geschäfte zu erledigen. Ihm wird die Flußregulierung in der nordchinesischen Ebene zugeschrieben. Er zuerst hat dem Gelben Fluß ein festes Bett gegeben, zurzeit als er
sintflutartig alles überschwemmte. Während dieser Zeit kam er im Laufe von
vielen Jahren dreimal an seinem Haus vorbei, ohne zum Hineingehen Zeit zu
finden. – Der Sinn unsres Abschnitts ist nun, daß Yü bei aller persönlichen Sparsamkeit es nicht an der Sorge für andre und für das öffentliche Wohl habe fehlen
lassen.

BUCH IX

Die ersten 15 Abschnitte des Buches enthalten Äußerungen über die Persönlichkeit Kungs teils von ihm selbst, teils von andern, teils endlich Gespräche und Wechselreden. Mit dem 16. und 17. Abschnitt, die elegische Äußerungen des Meisters über den Fluß der Dinge und die menschliche Verblendung enthalten, geht der Text zu allgemeineren Themen über, die hauptsächlich das Gebiet des Studiums berühren. Der letzte, 30. Abschnitt ist in seiner jetzigen Form zweifelhaft. Bemerkenswert sind die mancherlei Parallelstellen zu Buch VII.

1

ESOTERISCHES

Worüber der Meister selten sprach, war: der Lohn, der Wille Gottes, die Sittlichkeit.

2

GENIE UND TALENTE

I: DER MANN AUS DA HIANG

Ein Mann aus der Gegend von Da Hiang sprach: »Meister Kung ist gewiß ein großer Mann und hat ausgebreitete Kenntnisse, aber er hat nichts Besonderes getan, das seinen Namen berühmt machen würde.«
Der Meister hörte das und sprach zu seinen Jüngern also: »Was könnte ich denn (für einen Beruf) ergreifen? Soll ich das Wagenlenken ergreifen oder soll ich das Bogenschießen ergreifen? Ich denke, ich muß wohl das Wagenlenken ergreifen.«*

* Das Scherzwort Kungs anläßlich der Äußerung des Unbekannten, der bei aller Größe Kungs spezielle Taten und Talente vermißt, die sich statistisch nachweisen lassen, zeigt den Gegensatz der Standpunkte unter den Menschen, den auch Schiller im Auge hat in dem bekannten Wort, daß edle Naturen mit dem bezahlen, was sie sind, Gemeine mit dem, was sie tun.

3
MODE UND SINN

Der Meister sprach: »Ein leinener Hut ist eigentlich dem Ritual entsprechend. Heutzutage benutzt man seidene. Es ist sparsam, so richte ich mich nach der Allgemeinheit. Unten (an den Stufen der Halle) sich zu beugen, ist eigentlich dem Ritual entsprechend. Heutzutage macht man die Verbeugung oben. Doch das ist anmaßend, deshalb – ob ich auch von der Allgemeinheit abweiche, ich richte mich nach (dem Ritual der Verbeugung) unten.«

4
NEGATIVE TUGENDEN

Der Meister war frei von vier Dingen: er hatte keine Meinungen, keine Voreingenommenheit, keinen Starrsinn, keine Selbstsucht.

5
GOTTVERTRAUEN

Als der Meister in Kuang gefährdet war, sprach er: »Da König Wen nicht mehr ist, ist doch die Kultur mir anvertraut? Wenn der Himmel diese Kultur vernichten wollte, so hätte ein spätgeborner Sterblicher sie nicht überkommen. Wenn aber der Himmel diese Kultur nicht vernichten will: was können dann die Leute von Kuang mir anhaben?«

6
GENIE UND TALENTE
II: DER MINISTER

Ein Minister fragte den Dsï Gung und sprach: »Ist euer Meister nicht ein Genie? Wie zahlreich sind seine Talente!« Dsï Gung sprach: »In der Tat, wenn ihm der Himmel Gelegenheit gibt, wird er sich als Genie beweisen; außerdem hat er viele Talente.«

Der Meister hörte es und sprach: »Woher kennt mich denn der Minister? Ich hatte eine harte Jugend durchzumachen, deshalb erwarb ich mir mancherlei Talente. Aber das sind Nebensachen. Kommt es denn darauf an, daß der Edle in vielen Dingen Bescheid weiß? Nein, es kommt gar nicht auf das Vielerlei an.«

Lau sprach: »Der Meister pflegte zu sagen: ›Ich habe kein Amt; deshalb kann ich mich mit der Kunst beschäftigen.‹«

7
DER MEISTER UND SEIN WISSEN

Der Meister sprach: »Ich hätte (geheimes) Wissen? Ich habe kein (geheimes) Wissen. Wenn ein ganz gewöhnlicher Mensch mich fragt, ganz wie leer, so lege ich es von einem Ende zum andern dar und erschöpfe es.«

8
KEIN ZEICHEN

Der Meister sprach: »Der Vogel Fong kommt nicht, aus dem Fluß kommt kein Zeichen: Es ist aus mit mir!«

Der Meister sprach: »Aus alten Zeiten ist uns die Kunde überliefert, daß heilige Phönixvögel kamen und ihren Ruf ertönen ließen, daß geheime Zeichen ans Licht kamen auf dem Rücken der heiligen Schildkröte des Gelben Flusses. Das waren Zeichen, daß ein heiliger Herrscher auf Erden weilte, der die Welt mit machtvoller Hand regierte. Diese Zeiten sind vorüber. Kein Zeichen vom Himmel deutet auf das Erscheinen eines solchen Herrschers. So gibt es denn für mich keinen Platz auf Erden, wo ich wirken könnte. Ich muß meine Hoffnung begraben.«

9
EHRFURCHT
VOR RANG UND UNGLÜCK

Wenn der Meister jemand in Trauer sah, jemand im Hofgewand oder einen Blinden: so stand er bei ihrem Anblick auf, auch wenn sie jünger waren; mußte er an ihnen vorbei, so tat er es mit raschen Schritten.

10
DAS IDEAL UND DER SCHÜLER

Yen Yüan seufzte und sprach: »Ich sehe empor, und es wird immer höher, ich bohre mich hinein, und es wird immer undurchdringlicher. Ich schaue es vor mir, und plötzlich ist es wieder hinter mir. Der Meister lockt freundlich Schritt für Schritt die Menschen. Er erweitert unser Wesen durch (Kenntnis der) Kultur, er beschränkt es durch (die Gesetze des) Geziemenden. Wollte ich ablassen, ich könnte es nicht mehr. Wenn ich aber alle meine Kräfte erschöpft habe und glaube es schon erreicht, so steht es wieder klar und fern. Und wenn ich noch so sehr ihm folgen möchte, es ist kein Weg dahin!«

11
DER MEISTER IM STERBEN

Der Meister war auf den Tod krank. Dsï Lu traf Veranstaltungen, daß die Jünger (beim Todesfall und beim Begräbnis) als Minister funktionieren sollten. Als die Krankheit etwas nachließ, sprach (der Meister): »Immer macht der Yu aufrichtige Geschichten! Keine Minister zu haben, und tun, als hätte ich welche: wen wollen wir denn damit betrügen? Wollen wir etwa den Himmel betrügen? Und (meint ihr denn, ich möchte) in den Händen von Ministern sterben und nicht vielmehr in den Armen meiner getreuen Jünger? Und wenn ich auch kein fürstliches Begräbnis bekomme, so sterbe ich ja doch auch nicht auf der Landstraße.«

12
DER EDELSTEIN

Dsï Gung* sprach: »Wenn ich hier einen schönen Nephrit habe, soll ich ihn in einen Kasten stecken und verbergen oder soll ich einen guten Kaufmann suchen und ihn verkaufen?«
Der Meister sprach: »Verkaufe ihn ja! Verkaufe ihn ja! Aber ich würde warten auf den Kaufmann.«

* Dsï Gung konnte es nicht mit ansehen, daß der Meister ohne Amt blieb, statt sich bei einem Fürsten der Zeit einen einflußreichen Posten zu besorgen und so seinen Lehren Erfolg zu verschaffen. Das legt er ihm im Gleichnis nahe. Der Meister antwortet im Gleichnis und erklärt seine Zurückhaltung.

Der Meister äußerte den Wunsch, unter den neun Barbarenstämmen des Ostens zu wohnen.* Jemand sprach: »Sie sind
doch so roh; wie wäre so etwas möglich!« Der Meister
sprach: »Wo ein Gebildeter weilt, kann keine Roheit auf-
kommen.«

* Der Ausspruch Kungs ist einer jener Ausbrüche der Verzweiflung, daß er zur
Tatenlosigkeit und Erfolglosigkeit in China verurteilt sei. Die kulturstolze Bemerkung des Ungenannten, daß mit China die Welt des möglichen Wohnens
aufhöre, weist er mit weitem Blick für das Menschenwesen zurück. Die Menschen-
natur ist allenthalben so, daß sie dem Edlen sich beugt und ihm entsprechend
sich umgestaltet.

Der Meister sprach: »Nachdem ich von We nach Lu zurück-
gekehrt* war, da wurde die Musik in Ordnung gebracht. Die
Festlieder und Opfergesänge kamen alle an ihren rechten
Platz.«

* Kung kehrte im 11. Jahr des Fürsten Ai von seinen Wanderungen nach Lu zurück. Es war in seinem 69. Lebensjahre, fünf Jahre vor seinem Tode.

Der Meister sprach: »Nach außen dem Fürsten und Vorgesetzten dienen, nach innen dem Vater und älteren Bruder
dienen, bei Trauerfällen gewissenhaft alle Gerechtigkeit erfüllen, (bei Festen) sich vom Wein nicht überkommen lassen:
was kann ich dazu tun?«

*Die wahre Lebenskunst hat nur der erreicht, der in allen Situatio-
nen Takt besitzt und auf diese Weise ganz von selbst sich richtig
benimmt. Dieser Takt wird ihn leiten in der Öffentlichkeit bei
seinem amtlichen Verkehr mit Fürsten und Vorgesetzten. Dieser
feine Takt ist aber ebenso nötig im häuslichen Kreise im Verkehr
mit Eltern und Brüdern. Dieser selbe Takt gibt den Ernst der Gesinnung, der in Trauerfällen den Heimgegangenen die letzten
Liebespflichten gewissenhaft widmet. Durch diesen Takt, der die
Schranken des Geziemenden kennt, wird man bewahrt, sich vom
Rausch der Festfreude und des Weins überwältigen zu lassen. Aber*

wie gesagt: dieser Takt ist etwas, das im Menschen selber leben muß. Er kann ihm nicht mechanisch von außen beigebracht werden.

16
DER FLUSS

Der Meister stand an einem Fluß und sprach: »So fließt alles dahin, wie dieser Fluß, ohne Aufhalten Tag und Nacht!«

17
HIMMLISCHE UND IRDISCHE LIEBE

Der Meister sprach: »Ich habe noch keinen gesehen, der moralischen Wert liebt ebenso, wie er die Frauenschönheit liebt.«

18
STILLSTAND UND FORTSCHRITT

Der Meister sprach: »Nehmt zum Vergleich einen Hügel, der fertig ist bis auf einen Korb Erde; bleibt es dabei, so bedeutet es für mich einen Stillstand. Nehmt zum Vergleich den ebenen Grund, es mag erst ein Korb Erde aufgeworfen sein; geht es weiter, so bedeutet es für mich einen Fortschritt.«

19
BEHARRLICHKEIT

Der Meister sprach: »Wenn man mit ihm sprach, niemals zu erlahmen: das war Huis Art!«

20
BESTÄNDIGER FORTSCHRITT

Der Meister sagte in Beziehung auf Yen Yüan: »Ach, ich habe ihn (immer) fortschreiten sehen, ich habe ihn nie stillstehen sehen!«

21
BLÜTEN UND FRÜCHTE

Der Meister sprach: »Daß manches keimt, das nicht zum Blühen kommt, ach, das kommt vor! Daß manches blüht, das nicht zum Reifen kommt, ach, das kommt vor!«

Der Meister sprach: »Vor dem spätergeborenen Geschlecht muß man heilige Scheu haben. Wer weiß, ob die Zukunft es nicht der Gegenwart gleichtun wird? Wenn einer aber vierzig, fünfzig Jahre alt geworden ist, und man hat noch nichts von ihm gehört, dann freilich braucht man ihn nicht mehr mit Scheu zu betrachten.«

23
ZUSTIMMUNG UND TAT

Der Meister sprach: »Worte ernsten Zuredens: wer wird denen nicht zustimmen? Aber worauf es ankommt, das ist Besserung (des Lebens). Worte zarter Andeutung: wer wird die nicht freundlich anhören? Aber worauf es ankommt, das ist ihre Anwendung (auf die Praxis). Freundliches Anhören ohne Anwendung, Zustimmung ohne Besserung: was kann ich damit anfangen?«

24
TREU UND GLAUBEN

Der Meister sprach: »Mache Treu und Glauben zur Hauptsache, habe keinen Freund, der dir nicht gleich ist. Hast du Fehler, scheue dich nicht, sie zu verbessern.«

25
DIE MACHT DES KLEINSTEN

Der Meister sprach: »Einem Heer von drei Armeen kann man seinen Führer nehmen; dem geringsten Mann aus dem Volk kann man nicht seinen Willen nehmen.«

26
DSÏ LUS LOB UND TADEL

Der Meister sprach: »Mit einem ärmlichen hänfenen Rock bekleidet zu sein und an der Seite von andern zu stehen, die

kostbares Pelzwerk tragen, ohne sich zu schämen: das bringt
Yu fertig.

> Der keinem schadet, nichts begehrt,
> Wie tät' er nicht, was gut und recht?«

Dsï Lu sang darauf die Strophe dauernd vor sich hin. Der
Meister sprach: »Dieser Weg allein führt aber noch nicht bis
zur Vollkommenheit.«

27
IM WINTER

Der Meister sprach: »Wenn das Jahr kalt wird, dann erst
merkt man, daß Föhren und Lebensbäume immergrün sind.«

28
DER DREIFACHE SIEG

Der Meister sprach: »Weisheit macht frei von Zweifeln, Sittlichkeit macht frei von Leid, Entschlossenheit macht frei von
Furcht.«

29
GEFÄHRTEN AUF DEM LEBENSWEG

Der Meister sprach: »Manche können mit uns gemeinsam lernen, aber nicht gemeinsam mit uns die Wahrheit erreichen.
Manche können mit uns gemeinsam die Wahrheit erreichen,
aber nicht gemeinsam mit uns sich festigen. Manche können
gemeinsam mit uns sich festigen, aber nicht gemeinsam mit
uns (die Ereignisse) abwägen.«

30
FERNES GEDENKEN

> »Die roten Kirschenblüten
> Schließen der Kelche Rand.
> Wie wollt' ich dein nicht gedenken
> Fern, ach, im Heimatland!«

Der Meister sprach: »Das ist noch kein wirkliches Gedenken.
Was könnte dem die Ferne tun?«

BUCH X

Dieses Buch unterscheidet sich von allen früheren dadurch, daß es den Meister nur von der Seite seines Privatlebens (und seiner offiziellen äußeren Tätigkeit) zeigt. Es bringt viel interessantes, wenn auch mehr zeitgeschichtliches als biographisches Material bei. Äußerlich charakteristisch ist, daß Kung in dem ganzen Buch nur einmal als »der Meister« bezeichnet wird, sonst allenthalben als »Meister Kung« oder »der Edle«. Das legt den Gedanken nahe, daß dieses Buch aus einer anderen Quelle stammt als die übrigen. Dafür spricht ohnehin die ganze Art der Erzählung, die ganze biographisch-porträtierende Beschreibung, sowie schon äußerlich der Umstand, daß das ganze Buch ursprünglich einen einzigen Abschnitt bildete und erst später in 17 Abschnitte aus Rücksichten des praktischen Gebrauchs eingeteilt wurde. Die minutiöse Detailschilderung berührt den Europäer fremdartig, doch darf man nicht vergessen, daß daran z. T. das spezifisch-chinesische Kolorit, das zunächst ungewohnt erscheint, die Hauptschuld trägt. Die chinesischen Kommentatoren sind im Gegenteil entzückt über diese Details, die den Meister so deutlich vor Augen malen. Wichtig ist das Buch als Beleg dafür, wie sorgfältig Kung auf Übereinstimmung zwischen Theorie und Praxis seines Lebens gehalten hat.

1
KUNGS REDEWEISE
ZU HAUS UND BEI HOFE

Meister Kung war in seinem Heimatorte in seinem Wesen voll anspruchsloser Einfachheit, als könnte er nicht reden. Im Tempel und bei Hofe dagegen sprach er fließend, aber mit Überlegung.

2
VERKEHR MIT BEAMTEN UND FÜRSTEN

Bei Hofe sprach er mit den (ihm gleichgeordneten) Ministern zweiten Rangs frei und ungezwungen, mit den Ministern ersten Grades präzis und sachlich. Wenn der Fürst eintrat, war er in seinem Benehmen ehrfurchtsvoll, doch gefaßt.

3
BEI STAATSBESUCHEN

Wenn ihn der Fürst zum Empfang eines Gastes befahl, so wurde seine Miene ernst, und seine Schritte waren geschwind. Bei den Verbeugungen vor den nebenstehenden Beamten wandte er die zum Gruß erhobenen Hände nach links und rechts. Seine Kleidung blieb dabei vorn und hinten in Ordnung. (Beim Geleiten der Gäste) eilte er voran und (seine Arme waren) in leichter Schwingung. Nachdem der Gast sich zurückgezogen, machte er stets die Meldung: »Der Gast sieht sich nicht mehr um.«*

* Bei den Staatsbesuchen der Fürsten wurde in China großes Zeremoniell beobachtet. Kam der Gast an, so hatte er 90 Schritte westlich vor dem Palasttore vom Wagen zu steigen und durch einen Kordon von Beamten sich mit dem ihn am Tor der Ahnenhalle erwartenden Wirt zu verständigen. Auf beiden Seiten wurden hierzu drei Stufen von Beamten ausgesucht, die, in bestimmten Abständen voneinander stehend, unter Verbeugungen nach rechts und links (beim Empfang und Weitergeben der Nachricht) die Verständigung der Fürsten vermittelten. Kung hätte seinem Amt entsprechend eigentlich nur den zweiten Rang der Gastempfänger einnehmen sollen. Er scheint jedoch wegen seiner Erfahrung auf diesem Gebiet zum wichtigen ersten Rang, der eigentlich den höchsten Adelsgeschlechtern zustand, berufen worden zu sein. Nachdem der Zweck des Besuchs auf diese Weise kund war, kam der eigentliche Empfang. Beim Abschied hatte der Wirt so lange am Tor zu warten, bis der Gast sich nicht mehr umsah.

4
WÄHREND DER AUDIENZ

Wenn er durch das Palasttor trat, so beugte er sich, gleich als ob er kaum hindurch käme. Beim Stehen vermied er den Platz gegenüber von der Mitte des Tors, beim Durchschreiten (des Tors) trat er nicht auf die Schwelle. Wenn er am (leeren, äußeren) Thron vorbeikam, so wurde seine Miene ernst, und seine Schritte waren geschwind, er redete im Flüsterton. Er hielt sorgfältig den Saum seines Kleides empor, wenn er zur Audienzhalle hinaufstieg. Er beugte sich und hielt den Atem an, gleich als wagte er nicht Luft zu schöpfen.

Wenn er (von der Audienzhalle wieder herauskam und) die erste Stufe herabgestiegen war, so löste sich die Spannung in seinen Zügen, und er hatte einen heiteren Ausdruck. Unten an den Stufen angekommen, eilte er vorwärts (und seine Arme waren) in leichter Schwingung. So kehrte er an seinen Platz zurück mit ehrfurchtsvollem Gesichtsausdruck.

5
BENEHMEN BEI
DIPLOMATISCHEN MISSIONEN

Wenn er das Zepter (seines Fürsten) zu tragen hatte, so beugte er sich, gleich als sei er nicht fähig (es zu tragen). Er hob es nicht höher, als man die Hand zum Gruß erhebt (in Augenhöhe), und senkte es nicht tiefer, als man die Hand beim Überreichen einer Gabe ausstreckt (in Brusthöhe). Seine Miene war ernst und devot, seine Schritte waren langsam und gemessen. Beim Überreichen der Geschenke hatte er ein mildes Wesen. Bei der Privataudienz war er freundlich und heiter.

6
KLEIDERREGELN

Der Edle nahm kein Blaurot oder Schwarzrot zum Kleiderausputz. Gelbrot und violett nahm er nicht (einmal) für seine Hauskleider. In der heißen Zeit trug er ungefütterte, gazeartige linnene Gewebe, aber beim Ausgehen zog er immer noch ein Kleidungsstück darüber an. Dunkelbraune Kleidung trug er zusammen mit schwarzem Lammpelz, ungefärbte Kleidung mit Rehpelz, gelbe Kleidung mit Fuchspelz. Zu Hause trug er lange Pelzkleider, woran der rechte Ärmel kurz war. Er trug immer Nachthemden, die anderthalb Körperlängen hatten. Beim Aufenthalt zu Hause gebrauchte er dicke Fuchs- oder Dachspelze. Außer bei Trauerfällen trug er sämtliche Nephritschmuckstücke. Außer bei den ungenähten Opfergewändern hatte er immer nach der Figur genähte Kleider. Schwarzen Lammpelz und dunkle Kopfbedeckung trug er nicht, wenn er Trauerbesuche machte. Zum Monatsanfang zog er Galakleidung an und stellte sich bei Hofe vor.

7
DAS FASTEN

Beim Fasten hatte er immer reine Kleider von Linnen. Beim Fasten änderte er immer die Speise und verließ seinen (gewöhnlichen) Aufenthaltsplatz.

8
DAS ESSEN

Beim Essen verschmähte er es nicht, auf Reinigung (des Reises zu halten), beim Hackfleisch verschmähte er es nicht, auf Feinheit (zu halten). Reis, der verdorben war und schlecht, Fisch, der alt, und Fleisch, das nicht mehr frisch war, aß er nicht. Was eine schlechte Farbe hatte, aß er nicht. Was einen schlechten Geruch hatte, aß er nicht. Was nicht richtig gekocht war, aß er nicht. Was nicht der Zeit entsprach, aß er nicht. Was nicht richtig geschlachtet war oder nicht die richtige Sauce hatte, aß er nicht. Wenn das Fleisch auch viel war, ließ er es nicht den Geschmack des Reises verdecken. Nur im Weintrinken legte er sich keine Beschränkung auf, doch ließ er sich nicht von ihm verwirren. Gekauften Wein und Dörrfleisch vom Markt genoß er nicht. Er hatte stets Ingwer beim Essen. Er aß nicht viel. Wenn er beim fürstlichen Opfer anwesend war, behielt er (den ihm zugewiesenen Anteil an) Fleisch nicht über Nacht. Opferfleisch ließ er nicht länger als drei Tage liegen. Was über drei Tage alt war, das wurde nicht gegessen. Beim Essen diskutierte er nicht. Im Bett redete er nicht. Wenn er auch nur einfachen Reis und Gemüsesuppe und Gurken hatte, so brachte er doch ehrfurchtsvoll ein Speiseopfer dar.

War die Matte nicht gerade, so setzte er sich nicht.

Wenn die Dorfgenossen zusammen tranken und die Alten aufbrachen, so brach er auf.
Wenn die Dorfgenossen den Reinigungsumzug hielten, so kleidete er sich in Hoftracht und stellte sich auf die östliche Treppe seines Hauses.

Wenn er jemand mit Grüßen in einen Nachbarstaat sandte, so verneigte er sich zweimal vor ihm und geleitete ihn.
Freiherr Kang sandte ihm Medizin. Er empfing sie mit einer Verbeugung und sprach: »Ich kenne ihre Wirkung nicht, deshalb wage ich nicht, sie zu kosten.«*

* Es war sonst für Beamte nicht üblich, mit dem Ausland zu verkehren. Kung machte eine Ausnahme. Seine Höflichkeit gegen den Boten war eine Ehrung für den, dem die Botschaft galt. Freiherr Kang ist der auch sonst genannte Minister Gi Kang von Lu. Es war nicht Sitte, Medizin als Geschenk zu schicken, da die Geschenke aus Höflichkeit beim Empfang gekostet werden mußten und die Medizinen häufig giftig waren. Kung nimmt das Geschenk an und gibt die Erklärung, warum er es nicht kostet, so daß er nicht als unhöflich erscheint.

Einst brannte sein Stall. Der Meister kam von Hofe zurück und fragte: »Ist auch nicht etwa ein Mensch verletzt?« Er fragte nicht nach (dem Verlust an) Pferden.

Wenn der Fürst ihm eine Speise sandte, so rückte er die Matte gerade und kostete sie zuerst. Wenn der Fürst ungekochtes

Fleisch sandte, so ließ er es kochen und brachte es (seinen Ahnen) dar. Wenn der Fürst ein lebendes Tier sandte, so hielt er es lebend. Wenn er vom Fürsten zum Essen befohlen war und der Fürst die Dankspende dargebracht hatte, kostete er alle Speisen zuerst.

Wenn er krank war und der Fürst ihn besuchte, so legte er sich mit dem Kopf nach Osten, legte die Hofkleidung über sich und zog den Gürtel darüber. Wenn ihn der Fürst (zu Hof) befahl, so wartete er nicht, bis angespannt war, sondern ging zu Fuß voran.

14
IM KÖNIGLICHEN HEILIGTUM

Wenn er das königliche Heiligtum betrat, erkundigte er sich nach jeder einzelnen Verrichtung.

15
VERHÄLTNIS ZU FREUNDEN

Wenn ein Freund gestorben war, der keine Angehörigen hatte, so sprach er: »Überlaßt es mir, ihn zu begraben.«

Wenn ein Freund ihm etwas schenkte, und waren es selbst Pferde und Wagen: wenn es nicht Opferfleisch war, so machte er keine Verbeugung.

16
DAS ÄUSSERE
BENEHMEN

Im Bett lag er nicht (steif wie) ein Leichnam. Im täglichen Leben war er nicht formell.

Wenn er jemand in Trauer sah, so änderte er (seinen Gesichtsausdruck), auch wenn er ein guter Bekannter war. Wenn er einen in Hofkopfbedeckung oder einen Blinden sah, so benahm er sich höflich, auch wenn er ihnen oft begegnete.

Einen Leichenzug grüßte er (wenn er selbst im Wagen fuhr) durch (Verbeugung bis zur) Querstütze. Ebenso begrüßte er die (Leute, welche die) Volkszählungslisten trugen.

Wenn er bei einem reichen Mahl (zu Gaste) war, so änderte er seinen Ausdruck und erhob sich.
Bei einem plötzlichen Donnerschlag oder einem heftigen Sturm änderte er stets (seinen Gesichtsausdruck).*

* In dem Donner und Sturmwind hörte man »die Stimme des Herrn«, daher geziemte sich Ehrfurcht.

17
IM WAGEN

Wenn er den Wagen bestieg, stand er gerade und hielt das Handseil. Im Wagen sah er nicht nach innen, sprach nicht hastig und deutete nicht mit dem Finger.

18
DIE FASANENHENNE

»Ein Anblick, und es steigt empor,
     Es fliegt umher und läßt sich wieder nieder.«
Er sprach: »Auf der Bergbrücke eine Fasanenhenne. Zu ihrer Zeit! Zu ihrer Zeit!«
Dsï Lu brachte sie dar. Er roch dreimal und erhob sich.*

* Die Fasanenhenne ist das Kreuz aller Erklärer und Übersetzer. Die chinesischen Kommentare nehmen Korruption des Textes an, und man wird sich dabei beruhigen müssen. Der rätselhafte Paragraph ist ein würdiger Schluß des rätselhaften Buches, das im ganzen und einzelnen dem Kritiker so manche ungelöste Frage darbietet.

BUCH XI

Dieses Buch enthält eine Reihe von wirklichen Gesprächen des Meisters mit seinen Jüngern. Es zeigt ihn im Verkehr mit den Seinen. Dabei zeigt sich eine ganz spezielle Richtung. Dsong Schen, der sonst so viel genannte und als orthodox anerkannte Fortsetzer der Lehren Kungs, tritt in diesem Buch ganz zurück; in der Aufzählung der wichtigsten Jünger XI, 2 ist er übergangen, ebenso wie Dsï Dschang, der in Buch XIX eine dem Dsï Hia gegenüber etwas oppositionelle Stellung einzunehmen scheint. In Verlauf des Buches kommt nur eine etwas wenig schmeichelhafte Bemerkung über Dsong Schen vor (Abschn. 17), während Dsï Dschang in Abschn. 15 und 17 nicht eben lobend erwähnt wird. Dagegen tritt neben Yen Hui, dessen Platz unbestritten bleibt, eine andre Gestalt in den Vordergrund, Min Dsï Kiën, der sogar einmal ausdrücklich den Ehrentitel »Meister« erhält. Das läßt darauf schließen, daß zum mindesten ein Teil des überlieferten Stoffs der Schule dieses Jüngers entstammt, der sonst in der Überlieferung sehr zurücktritt. Jedenfalls steht das Buch XI literarisch sehr hoch, wie ein Vergleich der beiden Genreszenen V, 25 und XI, 25 auf den ersten Blick ergibt. Was dort stammelnd angedeutet ist, ist hier mit vollendeter Kunst in Durchbildung der Situation und Individualisierung der einzelnen Persönlichkeiten zum Ausdruck gebracht. Der ganze Ton des Buchs ist freier und fließender als der oft fast ängstlich gewissenhafte des Kreises um Dsong Schen. Herkömmlicherweise beginnt es den zweiten Teil der »Gespräche«.

1

ALTE UND NEUE ZEIT

Der Meister sprach: »Die früheren Geschlechter waren in Kultur und Musik rohe Menschen, die späteren Geschlechter sind in Kultur und Musik gebildet. Wenn ich (diese Dinge) auszuüben habe, so folge ich den früheren Geschlechtern.«

Der Meister sprach: »Von denen, die mir folgten in Tschen und Tsai, kommt keiner mehr zu meiner Tür.«

Ethisch hochstehend waren: Yen Yüan, Min Dsï Kiën, Jan Be Niu, Dschung Gung; rhetorisch begabt waren Dsai Wo und Dsï Gung; politisch tätig waren: Jan Yu und Gi Lu; ästhetisch und literarisch begabt waren: Dsï Yu und Dsï Hia.

Der Meister sprach: »Die Zeiten wechseln und die Menschen. Einst auf meinen Wanderungen war ich auch in den schlimmsten Tagen von Getreuen umgeben, die die Gefahren mit mir teilten. Wo sind sie hin? Teils gestorben, teils im Amt, teils in ihrer Heimat, aber keiner ist mehr um mich.«

3

YEN HUIS AUFFASSUNGSGABE

Der Meister sprach: »Hui hilft mir nicht. Mit allem, was ich sage, ist er einverstanden (so daß sich nie eine Diskussion entspinnen kann).«

4

MIN DSÏ KIÄNS PIETÄT

Der Meister sprach: »»Gehorsam wahrhaftig ist Min Dsï Kiën!« Damit sagen die Leute nichts anderes als seine eigenen Eltern und Brüder.«

5

NAN YUNGS

BESONNENHEIT UND IHR LOHN

Nan Yung wiederholte häufig das Lied vom weißen Zepterstein. Meister Kung gab ihm die Tochter seines älteren Bruders zur Frau.*

---

* Das Lied vom weißen Zepterstein steht Schï Ging III; 3; 2, 5. Die Zeilen heißen:
  »Ein Flecken in einem weißen Nephritzepter kann weggeschliffen werden;
  Einen Flecken in der Rede kann man nicht beseitigen.«
Die Beherzigung dieser Worte ist ein Zeichen für die vorsichtige Zurückhaltung Nan Yungs.

6
WELCHER IST DER GRÖSSTE UNTER DEN JÜNGERN?

Der Freiherr Gi Kang fragte, wer unter den Jüngern das Lernen liebe. Meister Kung entgegnete und sprach: »Da war Yen Hui, der liebte das Lernen. Zum Unglück war seine Zeit kurz, und er ist gestorben. Jetzt gibt es keinen mehr.«

7
RÜCKSICHT AUF DIE LEBENDEN

Als Yen Yüan gestorben war, bat Yen Lu um des Meisters Wagen, um dafür einen Sarkophag zu beschaffen. Der Meister sprach: »Begabt oder unbegabt: jedem steht doch sein Sohn am nächsten. Als (mein Sohn) Li starb, hatte er einen Sarg, aber keinen Sarkophag; ich kann nicht zu Fuß gehen, um einen Sarkophag zu kaufen. Nachdem ich ein öffentliches Amt bekleidet habe, geht es nicht an, daß ich zu Fuß gehe.«*

* Yen Lu ist der Vater von Yen Hui (Yen Yüan) und war ebenfalls Kungs Schüler. Da die Familie zu arm war, um einen Doppelsarg, wie er zu einem Begräbnis ersten Rangs gehörte, kaufen zu können, stellt er das obige Ansinnen an Kung. Kung war prinzipiell gegen jeden Beerdigungsluxus (vgl. IX, 11 und XI, 10), deshalb auch diese Ablehnung.

8
GOTTVERLASSENHEIT

Als Yen Yüan starb, sprach der Meister: »Wehe, Gott verläßt mich, Gott verläßt mich.«

9
DES MEISTERS TRÄNEN UM YEN HUI

Als Yen Hui starb, brach der Meister in heftiges Weinen aus. (Die Schüler in) seiner Umgebung sagten: »Der Meister ist zu heftig.« Der Meister sprach: »Klage ich zu heftig? Wenn ich um diesen Mann nicht bitterlich weine, um wen sollte ich es dann tun?«

Als Yen Yüan gestorben war, wollten die Jünger ihn prächtig beerdigen. Der Meister sagte, sie sollten es nicht tun. Aber
die Jünger beerdigten ihn prächtig. Der Meister sprach: »Hui
hat mich immer wie einen Vater behandelt; mir war es nicht
vergönnt, ihn wie meinen Sohn zu behandeln. Aber nicht an
mir lag es, sondern an euch, ihr meine Jünger.«

Gi Lu fragte über das Wesen des Dienstes der Geister. Der
Meister sprach: »Wenn man noch nicht den Menschen dienen
kann, wie sollte man den Geistern dienen können!«
(Dsï Lu fuhr fort): »Darf ich wagen, nach dem (Wesen) des
Todes zu fragen?« (Der Meister) sprach: »Wenn man noch
nicht das Leben kennt, wie sollte man den Tod kennen?«

Meister Min stand zu seiner Seite mit ruhigem, gesetztem
Gesichtsausdruck, Dsï Lu blickte mutig drein, Jan Yu und
Dsï Gung offen und frei.
Der Meister freute sich. (Doch sprach er:) »Dieser Yu (Dsï
Lu) wird einmal nicht eines natürlichen Todes sterben.«

Die Leute von Lu bauten das lange Schatzhaus (neu). Min
Dsï Kiën sprach: »Wie wäre es, wenn man das alte erhalten
würde? Warum muß man durchaus ein andres bauen?« Der
Meister sprach: »Dieser Mann redet selten, aber wenn er
redet, trifft er (das Rechte).«

14

URTEILE ÜBER DIE JÜNGER

II: DSÏ LUS LAUTENSPIEL

Der Meister sprach: »Die Laute Yus, was hat sie in meinem Tor zu tun?« Da achteten die Jünger den Dsï Lu gering. Der Meister sprach: »Yu ist immerhin zur Halle emporgestiegen, wenn er auch die inneren Gemächer noch nicht betreten hat.«*

* Nach den Gia Yü war das Lautenspiel Dsï Lus mit kriegerischem Geist erfüllt, es offenbarte eine Lust zu töten, die Kung verletzte. Den alten Berichten nach muß die alte chinesische Musik sehr genau die Seelenzustände ausgedrückt haben, und Kung hatte ein besonderes Verständnis für ihre Deutung. – Als die andern Jünger den Dsï Lu aber diesen Tadel empfinden ließen, nimmt sich Kung seiner an und erkennt seine überragende Begabung und seine Kenntnisse, denen nur die letzte harmonische Vollendung fehle, an.

15

URTEILE ÜBER DIE JÜNGER

III: DSÏ DSCHANG UND DSÏ HIA

Dsï Gung fragte: »Schï oder Schang, wer ist besser?« Der Meister sprach: »Schï geht zu weit, Schang bleibt zurück.« (Dsï Gung) sprach: »Dann ist also wohl Schï der Überlegene.« Der Meister sprach: »Zu viel ist grade so (falsch) wie zu wenig.«

16

URTEILE ÜBER DIE JÜNGER

IV: JAN KIU IM DIENST

»Der Freiherr Gi ist reicher als die Fürsten Dschous, und Kiu sammelt für ihn die Steuern ein und vermehrt seine Habe«, sprach der Meister, »das ist kein Jünger von mir. Meine Kinder, ihr möget die Trommel schlagen und ihn angreifen.«*

* Die Bemerkung war nicht so schlimm gemeint. War es doch Jan Kiu gewesen, der Kungs Rückberufung nach Lu durchgesetzt hatte. Die Lektion galt weit mehr dem Freiherrn Gi als seinen Beamten.

Tschai ist töricht, Schen ist beschränkt, Schï ist eitel, Yu ist roh.*

* Diese Aussprüche über die Jünger klingen sehr hart, fast mehr wie lieblose Äußerungen der Mitschüler oder deren Nachfolger als wie Urteile des Meisters. Bezeichnenderweise fehlt auch das: »Der Meister sprach.«

Der Meister sprach: »Hui, der wird es vielleicht (erreichen). Er ist stets leer. Sï hat nicht die Bestimmung empfangen, und seine Güter mehren sich. Wenn er etwas plant, so (gelingt es ihm) stets zu treffen.«

Dsï Dschang fragte über den Pfad des »guten Menschen«. Der Meister sprach: »Er wandelt nicht in den Spuren anderer, hat auch nicht die inneren Gemächer betreten.«

Dsï Dschang fragte nach dem Wesen des Talentes im Unterschied vom Genie. Der Meister sprach: »Wer Talent hat, kann selbst etwas produzieren. Aber trotz dieser über den Durchschnitt hervorragenden Begabung trennt ihn doch noch ein weiter Abstand von dem Kreise der inneren Berufenen, die intuitiv die Wahrheit erkennen wie die heiligen Könige des Altertums, da ihm der Zusammenhang mit der Tradition und der Kulturüberlieferung fehlt.«

Der Meister sprach: »Worte: sind sie ehrlich und wahr? Ist, der sie spricht, ein Edler? Oder ist er (nur) äußerlich anständig?«

Dsï Lu fragte, ob er (die Lehren), die er gehört, sofort in die Tat umsetzen solle. Der Meister sprach: »Du hast doch noch Vater und Bruder (auf die du Rücksicht nehmen mußt). Wie kannst du da alles Gehörte sofort ausführen?«
Jan Yu fragte (ebenfalls), ob er (die Lehren), die er gehört, sofort in die Tat umsetzen solle. Der Meister sprach: »Ja, hast du etwas gehört, so handle auch danach.«
Gung Si Hua (hatte beides mit angehört und) sprach: »Yu fragte, ob er das Gehörte sofort ausführen solle. Da sprach der Meister: ›Du hast doch noch Vater und Bruder.‹ Kiu fragt, ob er das Gehörte sofort ausführen solle. Da sprach der Meister: ›Hast du etwas gehört, so handle auch danach.‹ Ich bin deshalb im unklaren und erlaube mir, um Aufschluß zu bitten.« Der Meister sprach: »Kiu ist zögernd, deshalb muß man ihn antreiben; Yu hat einen Überschuß an Tatendrang, deshalb muß man ihn zurückhalten.«

22
BESCHEIDENHEIT

Als der Meister in Kuang in Gefahr war, blieb Yen Yüan zurück. Der Meister sprach: »Ich dachte schon, du seiest umgekommen.« Da sprach er: »Solange der Meister am Leben ist, wie könnte ich da wagen zu sterben?«

23
STRENGES URTEIL

Gi Dsï Jan fragte über Dschung Yu (Dsï Lu) und Jan Kiu (Jan Yu), ob man sie als bedeutende Staatsmänner bezeichnen könne. Der Meister sprach: »Ich dachte, der Herr würde etwas Außerordentliches zu fragen haben; nun ist es nur die Frage nach Yu und Kiu. Wer den Namen eines bedeutenden Staatsmannes verdient, der dient seinem Fürsten gemäß der Wahrheit; wenn das nicht geht, so tritt er zurück. Was nun

Yu und Kiu anlangt, das sind einfache Angestellte.« Da
sprach jener: »Dann folgen sie also (in allen Stücken)?« Der
Meister sprach: »Bei einem Vatermord oder Fürstenmord
werden sie doch nicht folgen.«

Dsï Lu stellte den Dsï Gau als Beamten des Kreises Bi (Fe)
an. Der Meister sprach: »Du verdirbst das Menschenkind.«
Dsï Lu sprach: »Da hat er eine Bevölkerung (zu regieren)
und den Göttern des Landes und des Korns zu opfern –
warum muß man denn nur immer hinter Büchern sitzen, um
sich zu bilden?« Der Meister sprach: »(Diese Menschen haben
doch immer eine Ausrede!) Das ist's, warum ich diese zungenfertige Art nicht leiden kann.«

Dsï Lu, Dsong Si, Jan Yu und Gung Si Hua saßen (mit dem
Meister) zusammen. Da sprach der Meister: »Obwohl ich ein
paar Tage älter bin als ihr, so nehmet mich nicht so. Ihr sagt
immer: ›Man kennt uns nicht.‹ Wenn euch nun ein (Herrscher) kennen würde (und verwenden wollte), was würdet
ihr dann tun?«
Dsï Lu fuhr sogleich heraus: »Wenn es ein Reich von tausend
Streitwagen gäbe, das eingeklemmt wäre zwischen mächtigen
(Nachbar-)Staaten, das außerdem von großen Heeren be-
drängt wäre und überdies unter Mangel an Brot und Ge-
müsen litte: wenn ich es zu regieren hätte, so wollte ich es
in drei Jahren so weit gebracht haben, daß (das Volk) Mut
hat und seine Pflicht kennt.« Der Meister lächelte. »Und Kiu,
was sagst du?« (Jan Kiu) antwortete: »Ein Gebiet von 60 bis
70 Meilen im Geviert, oder sagen wir 50–60 Geviertmeilen:
wenn ich das zu regieren hätte, so getraute ich mir wenigstens,
es in drei Jahren so weit zu bringen, daß das Volk genug zu

leben hat. Was die Pflege der Kultur und Kunst betrifft, die muß ich einem besseren Manne nach mir überlassen.«

»Und Tschï, was sagst du?« (Gung Si Hua) antwortete: »Ich sage nicht, daß ich es schon kann, aber lernen möchte ich es: im kaiserlichen Ahnentempel und bei kaiserlichen Audienzen im Festgewand und Barett wenigstens als niedriger Gehilfe zu dienen, das ist mein Wunsch.«

»Diën, was sagst du?« Dsong Si verlangsamte sein Lautenspiel, ließ die Laute verklingen und legte sie beiseite. Dann stand er auf und sprach: »Ach (meine Wünsche) sind verschieden von den Plänen dieser drei Freunde.« Der Meister sprach: »Was schadet es? Ein jeder soll seines Herzens Wünsche aussprechen.« Da sagte er: »Ich möchte im Spätfrühling, wenn wir die leichteren Frühlingskleider tragen, mit fünf oder sechs erwachsenen Freunden und ein paar Knaben im Flusse baden und im heiligen Hain des Lufthauchs Kühlung genießen. Dann würden wir ein Lied zusammen singen und heimwärts ziehen.« Der Meister seufzte und sprach: »Ich halte es mit Diën.«

Die drei andern Jünger gingen hinaus, nur Dsong Si blieb zurück. Dsong Si sprach: »Was bedeuten die Worte der drei Jünger?« Der Meister sprach: »Es sprach eben jeder seines Herzens Wünsche aus, nichts weiter.« – »Und warum lächelte der Meister über Dsï Lu?« – »Um ein Reich zu regieren, braucht es Takt. Seine Worte aber waren nicht bescheiden, darum lächelte ich über ihn.« – »Dann hat also Jan Kiu nicht von der Regierung eines Staates gesprochen?« – »Gewiß; denn wo gäbe es ein Gebiet von 60–70 oder 50–60 Meilen im Geviert, das nicht ein Staat wäre?« – »Und hat Gung Si Hua nicht auch von einem Staat gesprochen?« – »Gewiß; denn im kaiserlichen Ahnentempel und bei kaiserlichen Audienzen – wer hat außer den Landesfürsten dabei etwas zu tun? (Er sagte zwar bescheidener Weise nur, daß er als niedriger Gehilfe dabei dienen wolle, aber) wenn ein Mann wie Tschï niedriger Gehilfe ist, wer sollte dann der Leiter sein?«

BUCH XII

Die 24 Abschnitte dieses Buches handeln meist von Gegenständen prinzipieller Art. Es bildet so eine Ergänzung des XI., mehr persönlich gearteten Buches. Für die Kenntnis der konfuzianischen Ethik und Weltanschauung ist es besonders ergiebig.

1

SITTLICHKEIT

I: SCHÖNHEIT

Yen Yüan fragte nach (dem Wesen) der Sittlichkeit. Der Meister sprach: »Sich selbst überwinden und sich den Gesetzen der Schönheit zuwenden: dadurch bewirkt man Sittlichkeit. Einen Tag sich selbst überwinden und sich den Gesetzen der Schönheit zuwenden: so würde die ganze Welt sich zur Sittlichkeit kehren. Sittlichkeit zu bewirken, das hängt von uns selbst ab; oder hängt es etwa von den Menschen ab?«

Yen Yüan sprach: »Darf ich um Einzelheiten davon bitten?«

Der Meister sprach: »Was nicht dem Gesetz der Schönheit entspricht, darauf schaue nicht; was nicht dem Gesetz der Schönheit entspricht, darauf höre nicht; was nicht dem Schönheitsideal entspricht, davon rede nicht; was nicht dem Schönheitsideal entspricht, das tue nicht.« Yen Yüan sprach: »Obwohl meine Kraft nur schwach ist, will ich mich doch bemühen, nach diesem Wort zu handeln.«

2

SITTLICHKEIT

II: EHRFURCHT UND NÄCHSTENLIEBE

Dschung Gung fragte nach (dem Wesen) der Sittlichkeit. Der Meister sprach: »Trittst du zur Tür hinaus, so sei wie beim

Empfang eines geehrten Gastes. Gebrauchst du das Volk, so sei wie beim Darbringen eines großen Opfers. Was du selbst nicht wünschest, das tue nicht den Menschen an. So wird es in dem Land keinen Groll (gegen dich) geben, so wird es im Hause keinen Groll (gegen dich) geben.«

Dschung Gung sprach: »Obwohl meine Kraft nur schwach ist, will ich mich doch bemühen, nach diesem Wort zu handeln.«

3

SITTLICHKEIT

III: GRÜNDLICHKEIT

Sï Ma Niu fragte nach (dem Wesen) der Sittlichkeit. Der Meister sprach: »Der Sittliche ist langsam in seinen Worten.« Er antwortete: »Langsam in seinen Worten sein: *das* heißt Sittlichkeit?« – Der Meister antwortete: »Wer beim Handeln die Schwierigkeiten sieht: kann der in seinen Worten anders als langsam sein?«

4

DER EDLE IST FREI

VON SCHWERMUT UND ANGST

Sï Ma Niu fragte nach dem (Wesen des) Edlen. Der Meister sprach: »Der Edle ist ohne Trauer und ohne Furcht.« Er sprach: »Ohne Trauer und ohne Furcht sein: *das* heißt ein Edler sein?« – Der Meister sprach: »Wenn einer sich innerlich prüft, und kein Übles da ist, was sollte er da traurig sein, was sollte er fürchten?«

5

TROST

Sï Ma Niu war betrübt und sprach: »Alle Menschen haben Brüder, nur ich habe keinen.« Dsï Hia sprach: »Ich habe gehört: Tod und Leben haben ihre Bestimmung, Reichtum und Ansehen kommen vom Himmel. Der Edle ist sorgfältig und ohne Fehl: im Verkehr mit den Menschen ist er ehrerbietig und taktvoll: so sind innerhalb der vier Meere alle seine Brüder. Warum sollte der Edle sich bekümmern, daß er keine Brüder hat?«

KLARHEIT DES GEISTES

Dsï Dschang fragte nach (dem Wesen) der Klarheit. Der Meister sprach: »Auf wen langsam durchsickernde Verleumdungen und durch die Haut dringende Klagen nicht wirken, den kann man als klar bezeichnen. Auf wen langsam durchsickernde Verleumdungen und durch die Haut dringende Klagen nicht wirken, ja, den kann man als weit (blickend) bezeichnen.«

7

STAATSREGIERUNG
I: VERTRAUEN

Dsï Gung fragte nach (der rechten Art) der Regierung. Der Meister sprach: »Für genügende Nahrung, für genügende Wehrmacht und für das Vertrauen des Volkes (zu seinem Herrscher) sorgen.« Dsï Gung sprach: »Wenn man aber keine Wahl hätte, als etwas davon aufzugeben: auf welches von den drei Dingen könnte man am ehesten verzichten?« (Der Meister) sprach: »Auf die Wehrmacht.« Dsï Gung sprach: »Wenn man aber keine Wahl hätte, als auch davon eines aufzugeben: auf welches der beiden Dinge könnte man am ehesten verzichten?« (Der Meister) sprach: »Auf die Nahrung. Von alters her müssen alle sterben; wenn aber das Volk keinen Glauben hat, so läßt sich keine (Regierung) aufrichten.«

KERN UND SCHALE

Gi Dsï Tschong sprach: »Dem Edlen kommt es auf das Wesen an und sonst nichts. Was braucht er sich um die Form zu kümmern?« Dsï Gung sprach: »Bedauerlich ist die Rede des

Herren über den Edlen. Ein Viergespann holt die Zunge nicht ein. Die Form ist Wesen, das Wesen ist Form. Das von Haaren entblößte Fell eines Tigers und Leoparden ist wie das von Haaren entblößte Fell eines Hundes oder Schafs.«

9

VOLKSWOHLSTAND
UND STAATSWOHLSTAND

Fürst Ai fragte den Yu Jo und sprach: »Dies Jahr ist Teuerung, die Bedürfnisse lassen sich nicht decken. Was ist zu tun?« Yu Jo entgegnete und sprach: »Warum nicht den allgemeinen Zehnten durchführen?« (Der Fürst) sprach: »Mit zwei Zehnten habe ich noch immer nicht genug. Was soll man da mit dem einfachen Zehnten anfangen?« Er entgegnete und sprach: »Wenn die Untertanen genug haben, von wem bekäme der Fürst nicht genug? Wenn die Untertanen nicht genug haben, von wem bekäme der Fürst genug?«

10
INNERE UNKLARHEITEN

Dsï Dschang fragte, wie man sein Wesen erhöhen und Unklarheiten unterscheiden könne. Der Meister sprach: »Treu und Glauben zur Hauptsache machen, der Pflicht folgen: dadurch erhöht man sein Wesen. Einen lieben und wünschen, daß er lebe; einen hassen und wünschen, daß er sterbe: also wünschen, daß einer lebe, und wieder wünschen, daß einer sterbe, das ist Unklarheit.« ›Wahrlich nicht um ihres Reichtums willen. Einzig nur um ihrer Besonderheit willen.‹ (Die beiden letzten Zeilen sind ein Zitat aus Schï Ging II, 4, 4, 3, das keinen Sinn im Zusammenhang gibt und nach Tschongs Kommentar, dem die meisten andern folgen, zu XVI, 12 gehört, wo ein Zitat ausgefallen ist.)

Der Jünger Dsï Dschang fragte, auf welche Weise man seinen Charakter entwickeln und die Unklarheiten des eigenen Wesens aufhellen könne. Der Meister sprach: »Die Entwicklung und Erhöhung des Charakters wird erreicht durch unbedingte Gewissenhaftigkeit und Wahrheit und freie Unterwerfung unter das, was Pflicht ist. Die inneren Unklarheiten und Dunkelheiten des eigenen Wesens verschwinden von selbst, sowie man sie nur einfach ins Auge faßt. Das Gemütsleben der meisten Menschen wird beherrscht von blinden Sympathien und Antipathien. Je nach der Sympathie oder Antipathie, die uns beherrscht, wünschen wir andern Leben oder Tod. Aber man darf sich nur einmal überlegen, was das heißt: Leben zu fördern suchen und auf der andern Seite wieder Leben zu vernichten trachten, um zu erkennen, daß ein solcher Gemütszustand in dumpfer Unklarheit befangen ist. Ein klarer Standpunkt läßt sich also nur erreichen, wenn man sich durch Vernunft frei macht von der Beeinflussung des niederen Trieblebens.«

11
STAATSREGIERUNG
II: SOZIALE ORDNUNG
ALS GRUNDLAGE DES STAATSWESENS

Der Fürst Ging von Tsi fragte den Meister Kung über die Regierung. Meister Kung sprach: »Der Fürst sei Fürst, der Diener sei Diener; der Vater sei Vater, der Sohn sei Sohn.« Der Fürst sprach: »Gut fürwahr! Denn wahrlich, wenn der Fürst nicht Fürst ist und der Diener nicht Diener; der Vater nicht Vater und der Sohn nicht Sohn: obwohl ich mein Einkommen habe, kann ich dessen dann genießen?«

12
DSÏ LUS LOB

Der Meister sprach: »Nach einem einzelnen Wort einen Prozeß entscheiden, das konnte Yu.«
Dsï Lu schlief nie über einem (gegebenen) Versprechen.

13
PROZESSE ENTSCHEIDEN
UND PROZESSE VERHÜTEN

Der Meister sprach: »Im Anhören von Klagesachen bin ich nicht besser als irgend ein anderer. Woran mir aber alles liegt, das ist, zu bewirken, daß gar keine Klagesachen entstehen.«

STAATSREGIERUNG

III: UNERMÜDLICHE GEWISSENHAFTIGKEIT

Dsï Dschang fragte nach (dem Wesen) der Staatsregierung.
Der Meister sprach: »Unermüdlich dabei sein und gewissenhaft handeln.«

15

SELBSTERZIEHUNG

Der Meister sprach: »Wer eine umfassende Kenntnis der
Literatur besitzt und sich nach den Regeln der Moral richtet,
der mag es wohl erreichen, Fehltritte zu vermeiden.«

16

EINFLUSS AUF ANDERE

Der Meister sprach: »Der Edle befördert das Schöne der
Menschen und befördert nicht das Unschöne der Menschen.
Der Gemeine macht es umgekehrt.«

17

STAATSREGIERUNG

IV: DIE PERSON DES HERRSCHENDEN

Freiherr Gi Kang fragte den Meister Kung nach (dem Wesen) der Regierung. Meister Kung sprach: »Regieren heißt
recht machen. Wenn Eure Hoheit die Führung übernimmt im
Rechtsein, wer sollte es wagen, nicht recht zu sein?«

18

DAS VOLK RICHTET SICH NACH DER
PERSON, NICHT NACH DEN WORTEN

Freiherr Gi Kang war in Sorge wegen des Räuberunwesens
und fragte den Meister Kung. Meister Kung entgegnete:
»Wenn Eure Hoheit es nicht wünscht, so wird, ob selbst Belohnung darauf gesetzt würde, niemand rauben.«

Freiherr Gi Kang fragte den Meister Kung nach (dem Wesen)
der Regierung und sprach: »Wenn man die Übertreter tötet,
um denen, die auf rechtem Wege wandeln, zu helfen: wie
wäre das?« Meister Kung entgegnete und sprach: »Wenn
Eure Hoheit die Regierung ausübt, was bedarf es dazu des
Tötens? Wenn Eure Hoheit das Gute wünscht, so wird das
Volk gut. Das Wesen des Herrschers ist der Wind, das Wesen
der Geringen ist das Gras. Das Gras, wenn der Wind darüber hinfährt, muß sich beugen.«

Dsï Dschang fragte: »Wie muß ein Gebildeter sein, um durchdringend zu heißen?« Der Meister sprach: »Was verstehst
du denn unter durchdringend?« Dsï Dschang erwiderte: »In
der Öffentlichkeit berühmt sein und zu Hause berühmt sein.«
Der Meister sprach: »Das ist Berühmtheit, nicht Durchdringen. Ein bedeutender Mann ist seinem Wesen nach gerade
und liebt Gerechtigkeit. Er prüft die Worte und durchschaut
die Mienen. Er ist ängstlich darauf aus, sich zu demütigen
vor den Menschen. Ein solcher ist in der Öffentlichkeit durchdringend und zu Hause durchdringend. Ein berühmter Mann
aber hält sich im Äußeren an die Sittlichkeit, aber übertritt
sie in seinem Handeln. Er verharrt (in seinem Selbstbewußt-
sein) ohne Bedenken. Ein solcher ist in der Öffentlichkeit
berühmt und zu Hause berühmt.«

Fan Tschï wandelte (mit dem Meister) unter dem Regen-
altar; er sprach: »Darf ich fragen, wie man sein Wesen erhöhen, seine geheimen Fehler bessern und Unklarheiten unter-

scheiden kann?« Der Meister sprach: »Das ist eine gute Frage! Erst die Arbeit, dann der Genuß: wird dadurch nicht das Wesen erhöht? Seine eignen Sünden bekämpfen und nicht die Sünden der andern bekämpfen: werden nicht dadurch die geheimen Fehler gebessert? Um des Zorns eines Morgens willen seine eigne Person vergessen und seine Angehörigen in Verwicklungen bringen, ist das nicht Unklarheit?«

22
SITTLICHKEIT UND WEISHEIT

Fan Tschï fragte nach (dem Wesen) der Sittlichkeit (Menschlichkeit). Der Meister sprach: »Menschenliebe.« Er fragte nach (dem Wesen) der Weisheit. Der Meister sprach: »Menschenkenntnis.« Fan Tschï begriff noch nicht; da sprach der Meister: »Dadurch, daß man die Geraden erhebt, daß sie auf die Verdrehten drücken, kann man die Verdrehten gerade machen.« Fan Tschï zog sich zurück. Er sah Dsï Hia und sprach: »Vor kurzem war ich bei dem Meister und fragte nach (dem Wesen) der Weisheit. Der Meister sprach: ›Dadurch, daß man die Geraden erhebt, daß sie auf die Verdrehten drücken, kann man die Verdrehten gerade machen.‹ Was bedeutet das?« Dsï Hia sprach: »Das ist ein reiches Wort! Schun hatte das Reich, er wählte unter allen und erhob Gau Yau, da verschwanden die Unsittlichen. Tang hatte das Reich, er wählte unter allen und erhob J Yin, da verschwanden die Unsittlichen.«

23
FREUNDSCHAFT

Dsï Gung fragte nach (dem Wesen) der Freundschaft. Der Meister sprach: »Man soll sich gewissenhaft ermahnen und geschickt (zum Guten) führen. Wenn es nicht geht, so halte man inne. Man muß sich nicht selbst der Beschämung aussetzen.«

Dsï Gung fragte, wie man mit Freunden verkehren solle. Der Mei-
ster sprach: »Das Wesen der Freundschaft beruht auf unbedingter
Aufrichtigkeit. Sieht man an seinem Freund einen Fehler, so hat
man die Pflicht, ihn gewissenhaft darauf aufmerksam zu machen.
Die Freundschaft soll dazu dienen, daß man sich gegenseitig auf
liebevolle Weise im Guten fördert. Aber man darf nicht zum pedan-
tischen Moralprediger werden. Sieht man, daß unsere Anregungen
auf Widerstand stoßen, so halte man sich taktvoll zurück und über-
lasse es dem gesunden Verstande des andern, selbst zur Besinnung
zu kommen. Sonst setzt man sich nur Beschämungen aus, und die
Freundschaft geht in die Brüche.«

24

ZWECK DER FREUNDSCHAFT

Meister Dsong sprach: »Der Edle begegnet seinen Freunden
durch die Kunst und fördert durch seine Freunde seine Sittlichkeit.«

Kungfutse mit seinem Lieblingsjünger Yen Hui, von dem in
den »Gesprächen« wiederholt die Rede ist (Buch II, 9; V, 8;
XI, 6–10) und der mit 32 Jahren starb. Holzschnitt nach
Ku K'ai Tschi

BUCH XIII

Dieses Buch steht dem letzten ziemlich nahe. Es beschäftigt sich hauptsächlich mit Fragen der Regierung und der persönlichen Charakterbildung.

1

STAATSREGIERUNG

I: DER REGENT ALS ERSTER IM DIENEN

Dsï Lu fragte nach (dem Wesen) der Regierung. Der Meister sprach: »(Dem Volk) vorangehen und es ermutigen.« Er bat um weiteres. (Der Meister) sprach: »Nicht müde werden.«

2

STAATSREGIERUNG

II: WIDER DAS PERSÖNLICHE REGIMENT

Dschung Gung war Hausbeamter der Familie Gi und fragte nach (dem Wesen) der Regierung. Der Meister sprach: »Habe an erster Stelle die zuständigen Beamten, verzeih kleine Fehler, wähle Leute von Charakter und Talent.« Er sprach: »Wie weiß ich, welche (Leute) Charakter und Talent haben, daß ich sie wähle?« (Der Meister) sprach: »Wähle die, so du weißt. Die, so du nicht weißt: werden die Menschen auf sie verzichten?«

Dschung Gung fragte den Meister um Rat in Beziehung auf die Grundsätze der Regierung, zur Zeit als er ein Amt im Dienst der Familie Gi innehatte. Der Meister sprach: »Die größte Gefahr ist, alles selber machen zu wollen; vielmehr soll der Regent in allen Detailfragen den zuständigen Instanzen die Initiative lassen. Kleine menschliche Schwächen muß man übersehen, aber um so strenger darauf halten, daß die Leute, die man an der Hand hat, zuverlässig und ihrer Aufgabe gewachsen sind.« Als der Schüler danach fragte, wie man solche Leute ausfindig machen könne, erwiderte der Meister, daß man nur einmal einen Anfang zu machen brauche mit

den tüchtigen Menschen, die man kenne. Dann werden schon ganz
von selber auch solche tüchtige Menschen, die man noch nicht
kannte, von den andern empfohlen werden.

STAATSREGIERUNG

III: RICHTIGSTELLUNG DER BEGRIFFE

Dsï Lu sprach: »Der Fürst von We wartet auf den Meister,
um die Regierung auszuüben. Was würde der Meister zuerst
in Angriff nehmen?« Der Meister sprach: »Sicherlich die
Richtigstellung der Begriffe.« Dsï Lu sprach: »*Darum* sollte
es sich handeln? Da hat der Meister weit gefehlt! Warum
denn deren Richtigstellung?« Der Meister sprach: »Wie roh
du bist, Yu! Der Edle läßt das, was er nicht versteht, sozusagen beiseite. Wenn die Begriffe nicht richtig sind, so stimmen die Worte nicht; stimmen die Worte nicht, so kommen
die Werke nicht zustande; kommen die Werke nicht zustande, so gedeiht Moral und Kunst nicht; gedeiht Moral und
Kunst nicht, so treffen die Strafen nicht; treffen die Strafen
nicht, so weiß das Volk nicht, wohin Hand und Fuß setzen.
Darum sorge der Edle, daß er seine Begriffe unter allen Umständen zu Worte bringen kann und seine Worte unter allen
Umständen zu Taten machen kann. Der Edle duldet nicht,
daß in seinen Worten irgend etwas in Unordnung ist. Das
ist es, worauf alles ankommt.«

4

STAATSREGIERUNG

IV: KEINE TECHNISCHEN

SPEZIALKENNTNISSE ERFORDERLICH

Fan Tschï bat um Belehrung über den Ackerbau. Der Meister sprach: »(In diesem Stück) bin ich nicht so (bewandert)
wie ein alter Bauer.« Darauf bat er um Belehrung über den
Gartenbau. (Der Meister) sprach: »Darin bin ich nicht so
bewandert wie ein alter Gärtner.« Fan Tschï ging hinaus.

Da sprach der Meister: »Ein beschränkter Mensch ist er doch, dieser Fan Sü. Wenn die Oberen die Ordnung hochhalten, so wird das Volk nie wagen, unehrerbietig zu sein. Wenn die Oberen die Gerechtigkeit hochhalten, so wird das Volk nie wagen, widerspenstig zu sein. Wenn die Oberen die Wahrhaftigkeit hochhalten, so wird das Volk nie wagen, unaufrichtig zu sein. Wenn es aber so steht, so werden die Leute aus allen vier Himmelsrichtungen mit ihren Kindern auf dem Rücken herbeikommen. Was braucht man dazu die Lehre vom Ackerbau!«

5

THEORIE UND PRAXIS

Der Meister sprach: »Wenn einer alle dreihundert Stücke des Liederbuches auswendig hersagen kann, und er versteht es nicht, mit der Regierung beauftragt, (seinen Posten) auszufüllen oder kann nicht selbständig antworten, wenn er als Gesandter ins Ausland geschickt wird: wozu ist (einem solchen Menschen) alle seine viele (Gelehrsamkeit nütze)?«

6

DIE PERSON DES HERRSCHENDEN

Der Meister sprach: »Wer selbst recht ist, braucht nicht zu befehlen: und es geht. Wer selbst nicht recht ist, der mag befehlen: doch wird nicht gehorcht.«

7

URTEIL ÜBER ZWEI

ZEITGENÖSSISCHE STAATEN*

Der Meister sprach: »Die Herrscher von Lu und We sind Brüder.«

* Der Begründer des Staates Lu war der bekannte Dschou Gung, der Bruder des ersten Königs der Dschoudynastie, Wu. Das Fürstentum We wurde einem andern Bruder, Kang Schu, übertragen. Dieses brüderliche Verhältnis der Fürsten ist für Kung ein Bild für die Übereinstimmung in ursprünglicher Blüte und späterem Verfall, der sich in beiden Staaten zeigte.

ANPASSUNG AN DIE UMSTÄNDE

Der Meister sagte von dem Prinzen Ging von We, daß er gut hauszuhalten verstehe: »Als er anfing etwas zu haben, sprach er: ›Wenn ich's nur beisammen halte!‹ Als er etwas mehr hatte, sprach er: ›Wenn es nur für alles reicht.‹ Als er reichlich hatte, sprach er: ›Wenn es nur schön verwandt wird!‹«

9

STAATSREGIERUNG
V: ZEITFOLGE DER ZIELE

Der Meister fuhr durch We. Jan Yu lenkte (den Wagen). Der Meister sprach: »Wie zahlreich ist (das Volk)!« Jan Yu sprach: »Wenn es so zahlreich ist, was könnte man noch hinzufügen?« (Der Meister) sprach: »Es wohlhabend machen.« (Jan Yu) sprach: »Und wenn es wohlhabend ist, was kann man noch hinzufügen?« (Der Meister) sprach: »Es bilden.«

SELBSTBEURTEILUNG

Der Meister sprach: »Wenn nur jemand wäre, der mich verwendete! Nach Ablauf von zwölf Monden sollte es schon angehen, und nach drei Jahren sollte alles in Ordnung sein.«

ERFOLG DES TALENTES

Der Meister sprach: »(Es gibt ein Wort): ›Wenn tüchtige Menschen hundert Jahre ein Land leiten würden, so könnte man mit den Verbrechen fertig werden ohne Todesstrafe.‹ Das ist ein wahres Wort.«*

---

* Abschnitt 11 und 12 behandeln wieder den Unterschied in der Wirksamkeit eines Talents, das – außerhalb der Tradition und ohne Fühlung mit den göttlichen Ordnungen der Vergangenheit – immerhin einige äußere Erfolge zu erreichen vermag, und dem berufenen Genius, der wirklich erlösend wirken kann.

ERFOLG DES BERUFENEN GENIUS

Der Meister sprach: »Wenn ein König käme, so wäre nach einem Menschenalter die Sittlichkeit erreicht.«

Dem stellte der Meister ein anderes Wort gegenüber: »Wenn aber ein gottgesandter Genius als Herrscher käme, der würde es schon nach einem Menschenalter dahin gebracht haben, die Herzen der Menschen zum Guten zu bekehren.«

13
SELBSTBEHERRSCHUNG
DIE GRUNDLAGE DER REGIERUNG

Der Meister sprach: »Wer sich selbst regiert, was sollte der (für Schwierigkeiten) haben, bei der Regierung tätig zu sein? Wer sich selbst nicht regieren kann, was geht den das Regieren von andern an?«

14
NEBENREGIERUNG

Meister Jan kam vom Hofe zurück. Der Meister sprach: »Warum so spät?« Er erwiderte: »Es gab Regierungsarbeit.« Der Meister sprach: »Es wurden wohl Geschäfte (gemacht). Wenn es Regierungsarbeit gab, so hätte ich, obwohl nicht im Dienst, doch sicher davon gehört.«

15
DAS GEHEIMNIS DER BLÜTE
UND DES UNTERGANGS DER STAATEN

Fürst Ding fragte: »Mit einem Wort des Staates Blüte befassen: kann man das?« Meister Kung erwiderte: »Ein Wort kann so weit nicht reichen. Doch gibt es ein Wort der Leute: ›Herrscher sein ist schwer, Kanzler sein nicht leicht.‹ Wenn man die Schwierigkeit des Herrscherberufs kennt, ist dann nicht ein Wort nahe daran, des Staates Blüte zu befassen?« (Fürst Ding) sprach: »Mit einem Wort des Staates Unter-

gang befassen: kann man das?« Meister Kung erwiderte:
»Ein Wort kann so weit nicht reichen. Doch gibt es ein Wort
der Leute: ›Es freut mich nicht, ein Fürst zu sein, außer wenn
in seinen Worten mir niemand widerspricht.‹ Wenn er tüchtig ist und niemand ihm widerspricht: dann ist es ja auch
ganz gut; wenn er (aber) nicht tüchtig ist, und niemand ihm
widerspricht: ist dann nicht ein Wort nahe daran, des Staates
Untergang zu befassen?«

16

STAATSREGIERUNG

VI: NACH IHREN FRÜCHTEN

Der Fürst von Schê fragte nach dem Wesen der Regierung.
Der Meister sprach: »Wenn die Nahen erfreut werden und
die Fernen herankommen.«

17

STAATSREGIERUNG

VII: DAUERNDER ERFOLG

Dsï Hia war Beamter von Gü Fu und fragte nach der (rechten Art der) Regierung. Der Meister sprach: »Man darf keine
raschen (Erfolge) wünschen und darf nicht auf kleine Vorteile sehen. Wenn man rasche Erfolge wünscht, so (erreicht
man) nichts Gründliches; wenn man auf kleine Vorteile aus
ist, so bringt man kein großes Werk zustande.«

18

AUFRICHTIGKEIT UND PIETÄT

Der Fürst von Schê redete mit Meister Kung und sprach:
»Bei uns zulande gibt es ehrliche Menschen. Wenn jemandes
Vater ein Schaf entwendet hat, so legt der Sohn Zeugnis
ab (gegen ihn).« Meister Kung sprach: »Bei uns zulande sind
die Ehrlichen verschieden davon. Der Vater deckt den Sohn
und der Sohn deckt den Vater. Darin liegt auch Ehrlichkeit.«

19

EHRFURCHT UND GEWISSENHAFTIGKEIT

Fan Tschï fragte nach (dem Wesen) der Sittlichkeit. Der Meister sprach: »Wenn du (allein) weilst, sei ernst, wenn du Geschäfte besorgst, sei ehrfürchtig, wenn du mit andern verkehrst, sei gewissenhaft. Selbst wenn du zu den Barbaren des Ostens oder Nordens kommst, darfst du dieses (Betragen) nicht verlassen.«

20

VERSCHIEDENE STUFEN VON GEBILDETEN

Dsï Gung fragte und sprach: »Wie muß einer sein, um ihn einen Gebildeten nennen zu können?« Der Meister sprach: »Wer in seinem persönlichen Benehmen Ehrgefühl hat, und wer, entsandt in die vier Himmelsrichtungen, dem Auftrag seines Fürsten keine Schande macht, den kann man einen Gebildeten nennen.« (Dsï Gung) sprach: »Darf ich fragen, was die nächste Stufe ist?« (Der Meister) sprach: »Wen seine Verwandten gehorsam nennen, und wen seine Landsleute brüderlich nennen.« (Dsï Gung) sprach: »Darf ich fragen, was die nächste Stufe ist?« (Der Meister) sprach: »Wer sein Wort unter allen Umständen hält, wer seine Arbeiten unter allen Umständen fertig macht; solche Leute mögen hartköpfige Pedanten sein, dennoch stehen sie vielleicht auf der nächsten Stufe.« (Dsï Gung) sprach: »Und zu welcher (Klasse) gehören die Regierenden von heute?« Der Meister sprach: »Ach, Männer des Scheffels und des Eimers, wie wären sie es wert, mitgezählt zu werden!«

21

WER IST ZUM JÜNGER GESCHICKT?

Der Meister sprach: »Wenn ich keine (Leute) finde, die in der Mitte wandeln, um mit ihnen zu sein, so will ich wenigstens (Leute) von Enthusiasmus und Entschiedenheit. Die Enthusiasten schreiten fort und sind aufnahmefähig. Die Entschiedenen haben Grenzen, die sie nicht überschreiten.«

Der Meister sprach: »Die Leute im Süden haben ein Sprichwort, das heißt: ›Ein Mensch, der nicht beständig ist, der ist nicht geeignet, um Zauber oder Heilkunst zu betreiben.‹ Das ist ein wahres (Wort)!«
(Im Buch der Wandlungen steht:) »Wer nicht beständig macht seinen Geist, der wird Beschämung empfangen.«
Der Meister sprach: »Man beschäftigt sich nicht mit der Prophezeiung, das ist es.«

23
DER EDLE UND DER GEMEINE
IM UMGANG MIT ANDERN

Der Meister sprach: »Der Edle ist friedfertig, aber macht sich nicht gemein. Der Unedle macht sich gemein, aber ist nicht friedfertig.«

24
DIE LIEBE
UND DER HASS DER ANDERN

Dsï Gung fragte und sprach: »Wen seine Landsleute lieben, wie ist der?« Der Meister sprach: »Das sagt noch nichts.« »Wen seine Landsleute alle hassen, wie ist der?« Der Meister sprach: »Auch das sagt noch nichts. Besser ist's, wenn einen die Guten unter den Landsleuten lieben und die Nichtguten hassen.«

25
DIENST UND GUNST

Der Meister sprach: »Der Edle ist leicht zu bedienen, aber schwer zu erfreuen. (Sucht man) ihn zu erfreuen, aber nicht auf dem (rechten) Weg, so freut er sich nicht, aber in seiner Verwendung der Leute berücksichtigt er ihre Fähigkeiten. Der Gemeine ist schwer zu bedienen, aber leicht zu erfreuen.

(Sucht man) ihn zu erfreuen, wenn auch nicht auf dem (rechten) Weg, so freut er sich, aber in seiner Verwendung der Leute sucht er Vollkommenheit.«

26
STOLZ UND HOCHMUT

Der Meister sprach: »Der Edle ist stolz, aber nicht hochmütig. Der Gemeine ist hochmütig, aber nicht stolz.«

27
GÜNSTIGE NATURVERANLAGUNG

Der Meister sprach: »Feste Entschlossenheit, verbunden mit einfacher Wortkargheit, steht der Sittlichkeit nahe.«

28
EIGENSCHAFTEN DES GEMÜTS,
DIE DEM GEBILDETEN WESENTLICH SIND

Dsï Lu fragte und sprach: »Wie muß einer sein, um ihn einen Gebildeten nennen zu können?« Der Meister sprach: »Einer, der solide, gründlich und freundlich ist, den kann man einen Gebildeten nennen. Als Freund solide und gründlich, als Bruder freundlich.«

29
VOLKSERZIEHUNG
UND KRIEGERISCHE TÜCHTIGKEIT

Der Meister sprach: »Wenn ein tüchtiger Mann ein Volk sieben Jahre lang erzieht, so mag er es auch benutzen, um die Waffen zu führen.«

30
MANGEL DER
VOLKSERZIEHUNG RÄCHT SICH IM KRIEG

Der Meister sprach: »Ein Volk ohne Erziehung in den Krieg führen, das heißt, es dem Untergang weihen.«

BUCH XIV

Dieses Buch, mit seinen 47 Abschnitten das längste der ganzen Sammlung, wird von verschiedenen chinesischen Kommentatoren einem unmittelbaren Schüler Kungs, dem Yüan Hiën (literarische Bezeichnung Dsï Sï), zugeschrieben. Als Beweis dafür wird angeführt, daß der erste Abschnitt des Buches mit dem Vornamen des genannten Schülers beginnt, was sonst, wenn die Schüler redend eingeführt werden, nie der Fall ist. Der Inhalt des Buchs würde dazu stimmen; denn neben verschiedenen prinzipiellen Äußerungen sind auch eine Reihe von Urteilen des Meisters über Männer der Geschichte und Zeitgenossen überliefert. Außerdem auch verschiedene persönliche Anekdoten aus dem Privatleben Kungs, die auf eine vertrautere Quelle zurückzugehen scheinen. Über die Person des Yüan Hiën ist nicht sehr viel bekannt, nicht einmal, ob er aus dem Staate Lu oder aus Sung war, läßt sich sicher feststellen. Nach des Meisters Tod zog er sich nach We zurück, wo er unbekümmert um den Weltlauf in stiller Zurückgezogenheit an seiner persönlichen Kultur arbeitete. Eine charakteristische Geschichte wird von dem taoistischen Philosophen Dschuang Dsï über ihn erzählt. Dsï Gung, der sich in hoher amtlicher Stellung befand, sprach in pompöser Weise bei ihm vor. Yüan Hiën empfing ihn in ärmlicher, zerrissener Kleidung. Dsï Gung fragte ihn darauf, ob er übel dran sei, worauf er antwortete: »Ich habe gehört, daß, wer kein Geld hat, arm sei; wer aber die Wahrheit sucht und nicht imstande ist, sie zu finden, übel dran sei.« Auf diese Antwort hin habe Dsï Gung sich verlegen zurückgezogen.

1
SCHANDE

Hiën fragte, (was) Schande (sei). Der Meister sprach: »Ist ein Land auf rechter Bahn, (so habe man sein) Einkommen.

Ist ein Land nicht auf rechter Bahn, (und man genießt dennoch ein amtliches) Einkommen: das ist Schande.«

2

DAS SCHWIERIGE
IST DARUM NOCH NICHT SITTLICH

»Herrschsucht, Prahlerei, Groll, Begierde nicht gehen lassen: das kann für sittlich gelten.« Der Meister sprach: »Das kann für schwierig gelten, ob sittlich: das weiß ich nicht.«

Es hatte irgend jemand die Theorie aufgestellt, daß die Sittlichkeit darin bestehe, jede Äußerung egoistischer Triebe zu unterlassen. Der Meister urteilte darüber, daß eine solche Handlungsweise zwar schwer sei, daß sie aber noch nicht genüge, um die Sittlichkeit eines Menschen daraus zu erkennen; denn für die ethische Beurteilung kommen überhaupt keine bloßen Äußerlichkeiten, am wenigsten rein negative Unterlassungen in Betracht, sondern die innere Gesinnung.

3

NICHT HINTER DEM OFEN SITZEN

Der Meister sprach: »Ein Gebildeter, der es liebt, (zu Hause) zu bleiben, ist nicht wert, für einen Gebildeten zu gelten.«

4

LEBENSKLUGHEIT

Der Meister sprach: »Wenn das Land auf rechter Bahn ist, (mag man) kühn in seinen Worten sein und kühn in seinen Taten. Wenn das Land nicht auf rechter Bahn ist, (soll man) kühn in seinen Taten sein, aber vorsichtig in seinen Worten.«

5

AUSDRUCK UND INNERLICHKEIT

Der Meister sprach: »Wer Geist hat, hat sicher auch das (rechte) Wort, aber wer Worte hat, hat darum noch nicht notwendig Geist. Der Sittliche hat sicher auch Mut, aber der Mutige hat noch nicht notwendig Sittlichkeit.«

NICHT MACHT,
SONDERN GEIST ERERBT DAS ERDREICH

Nan Gung Go fragte den Meister Kung und sprach: »J war tüchtig im Bogenschießen, Au konnte ein Schiff ziehen. Alle beide fanden nicht ihren (natürlichen) Tod. Yü und Dsi bestellten eigenhändig das Feld, und doch bekamen sie das Reich.« Der Meister antwortete nicht. Nan Gung Go ging hinaus. Der Meister sprach: »Ein Edler wahrlich ist dieser Mann, die Kraft des Geistes schätzt wahrlich dieser Mann.«

7
GEISTIGE
BEDEUTUNG UND SITTLICHKEIT

Der Meister sprach: »Edle, die doch nicht sittlich sind, ja, das gibt es; nicht gibt es (aber) Gemeine, die doch sittlich wären.«

8
DIE RECHTE LIEBE

Der Meister sprach: »Wenn man einen liebt, ist es dann möglich, daß man nicht für ihn besorgt ist? Wenn einer gewissenhaft ist, wie wäre es dann möglich, (seinen Fürsten) nicht zu belehren?«

9
SORGFALT BEI DER
HERSTELLUNG AMTLICHER SCHRIFTSTÜCKE

Der Meister sprach: »Bei amtlichen Schriftstücken machte Bi Schen den ungefähren Entwurf; Schï Schu verbesserte und erwog; der Minister des Auswärtigen, Dsï Yü, ordnete den Stil; Dsï Tschan von Dung Li (Ostdorf) gab dem Ganzen den letzten Schliff.«

10

URTEILE ÜBER ZEITGENOSSEN

I: DSÏ TSCHAN, DSÏ SI, GUAN DSCHUNG

Es fragte jemand, (was von) Dsï Tschan (zu halten sei). Der
Meister sprach: »Er ist ein gütiger Mann.« (Der Betreffende)
fragte, (was von) Dsï Si (zu halten sei. Der Meister) sprach:
»Wahrlich der, wahrlich der!« (Der Betreffende) fragte, (was
von) Guan Dschung (zu halten sei. Der Meister) sprach: »Das
ist ein Mann. Als er der Familie Be die Stadt Biën mit dreihundert (Familien) weggenommen hatte, (so daß der frühere
Besitzer nur noch) gewöhnlichen Reis zu essen hatte, bis er
keine Zähne mehr hatte, (äußerte dieser) kein Wort des
Grolls (gegen ihn).«

11
WÜRDIGES ERTRAGEN DER ARMUT

Der Meister sprach: »Arm sein, ohne zu murren, ist schwer.
Reich sein, ohne hochmütig zu werden, ist leicht.«

12
URTEILE ÜBER ZEITGENOSSEN

II: MONG GUNG TSCHO

Der Meister sprach: »Mong Gung Tscho wäre als Hausbeamter der Familien Dschau oder We vorzüglich, aber er
könnte nicht Minister sein in Tong oder Sië.«

*Der Meister sprach von dem Haupt der Familie Mong in Lu,
namens Gung Tscho, daß er sich als Hausbeamter auch der mächtigsten Familien vorzüglich eignen würde, daß er aber als verant-
wortlicher Ratgeber auch eines viel kleineren, aber selbständigen
Fürstentums nicht geeignet wäre.*

13
DER VOLLKOMMENE MENSCH

Dsï Lu fragte, (wer ein) vollkommener Mensch (sei und)
(Der Meister) sprach: »Wenn jemand das Wissen von Dsang

Wu Dschung, die Selbstlosigkeit von Gung Tscho, den Mut des Herren Dschuang von Biën, die Geschicklichkeit von Jan Kiu besäße, und das alles gestaltet durch die Gesetze der Moral und Musik, der könnte doch sicher wohl für einen vollkommenen Menschen gelten.«

Der Meister sprach: »Ein vollkommener Mensch von heute, was braucht der all das? Wer angesichts des Gewinns auf Pflicht denkt, wer angesichts der Gefahr sein Leben opfert, bei alten Abmachungen die Worte seiner Jugend nicht vergißt, der kann auch für einen vollkommenen Menschen gelten.«

14

URTEILE ÜBER ZEITGENOSSEN
III: GUNG SCHU WEN DSÏ

Der Meister befragte den Gung Ming Gia über Gung Schu Wen Dsï und sprach: »Ist es wahr, daß euer Meister nicht redet, nicht lacht, nichts nimmt?« Gung Ming Gia erwiderte und sprach: »Das ist durch die Erzähler übertrieben. Mein Meister redet, wenn es Zeit ist, darum werden die Menschen seiner Rede nicht überdrüssig. Er lacht, wenn er fröhlich ist, darum werden die Menschen seines Lachens nicht überdrüssig. Er nimmt, wenn es sich mit der Billigkeit verträgt, darum werden die Menschen seines Nehmens nicht überdrüssig.« Der Meister sprach: »*So* ist er? Wie kann er so sein!«

15

URTEILE ÜBER ZEITGENOSSEN
IV: DSANG WU DSCHUNG*

Der Meister sprach: »Dsang Wu Dschung stützte sich auf Fang und bat so (den Fürsten von) Lu, einen Nachfolger (für ihn) zu bestellen. Obwohl man sagt, er habe keinen Druck auf den Fürsten ausgeübt, so glaube ich es nicht.«

* Dsang Wu Dschung hatte, da er mit der Familie Mong in Feindschaft lebte, den Staat Lu und sein dortiges Lehen, die Stadt Fang, verlassen müssen und war

in den Staat Dschu geflohen. Da er jedoch Familienhaupt war und ohne ihn die Ahnenopfer unterblieben, so kehrte er zurück, besetzte seine Stadt Fang und sandte an den Fürsten die Bitte, einen Nachfolger für ihn einzusetzen. »Dann werde er nicht wagen, gewaltsam den Platz festzuhalten, sondern gutwillig gehen.« Kung hat wohl recht über ihn.

16

URTEILE ÜBER ZEITGENOSSEN
V: WEN VON DSIN UND HUAN VON TSI

Der Meister sprach: »Fürst Wen von Dsin war hinterlistig und nicht aufrichtig. Fürst Huan von Tsi war aufrichtig und nicht hinterlistig.«

17

URTEILE ÜBER ZEITGENOSSEN
VI: GUAN DSCHUNG

Dsï Lu sprach: »Der Fürst Huan tötete den Fürstensohn Giu (seinen Bruder). Da starb auch Schau Hu mit ihm. Guan Dschung tötete sich nicht, (kann da man nicht) sagen, daß er nicht auf der (Höhe der) Sittlichkeit stand?« Der Meister sprach: »Daß der Fürst Huan die Lehnsfürsten versammeln (konnte), und das nicht mit Waffen und Wagen: das war der Einfluß Guan Dschungs. Wie (hoch steht) seine Sittlichkeit! Wie (hoch steht) seine Sittlichkeit!«

18

URTEILE ÜBER ZEITGENOSSEN
VII: GUAN DSCHUNG

Dsï Gung sprach: »Guan Dschung ist doch wohl nicht sittlich vollkommen. Als der Fürst Huan den Fürstensohn Giu tötete, da konnte er (es) nicht (über sich bringen, mit diesem zu) sterben, ja er wurde dazuhin sein (Huans) Kanzler.« Der Meister sprach: »Weil Guan Dschung der Kanzler des Fürsten Huan wurde, konnte dieser die Leitung über die Lehnsfürsten übernehmen und das Reich einigen und in Ordnung bringen. Das Volk genießt noch bis auf den heutigen Tag seine Gaben.

Ohne Guan Dschung würden wir die Haare ungebunden tragen und die Kleider nach links knöpfen.* Was soll da die kleine Treue eines gewöhnlichen Liebhabers und seiner Geliebten, die sich selbst töten im Bach oder Graben, ohne daß man etwas von ihnen weiß!«

* Das Haar ungebunden, in Zöpfe geflochten zu tragen, war nach Li Gi III, III, 14 die Sitte der östlichen J-Barbaren und der westlichen Jung-Barbaren, welch letztere damals das Reich bedrohten, ebenso wie die links zugeknöpfte Kleidung.

19

URTEILE ÜBER ZEITGENOSSEN

VIII: GUNG SCHU WEN DSÏ

Der Beamte des Gung Schu Wen Dsï, der (spätere) Minister Dschuan, stieg gemeinsam mit Wen Dsï (die Stufen) zum (Palast des) Fürsten hinauf. Der Meister hörte es und sprach: »Das kann für ›Wen‹ (vollendet, weise) gelten.«

Gung Schu mit dem Beinamen »der Weise« hatte einen tüchtigen Hausbeamten, namens Dschuan. Als er zur Audienz bei Hofe ging, nahm er ihn mit sich und bezeugte ihm die Ehren, die man einem Gleichgestellten erweist. Dadurch erreichte er, daß dieser Mann eine seiner Tüchtigkeit angemessene Stellung im Staate erhielt.
Als der Meister davon hörte, sprach er: »Schon dieser kleine Zug rechtfertigt den Beinamen ›der Weise‹.«

20

URTEILE ÜBER ZEITGENOSSEN

IX: FÜRST LING VON WE

Der Meister sprach über den zuchtlosen Wandel des Fürsten Ling von We. Freiherr (Gi) Kang sprach: »Da das der Fall ist, was verliert er dann nicht (sein Reich)?« Meister Kung sprach: »Er hat Dschung Schu Yü zur Besorgung des (diplomatischen Verkehrs mit) Gesandten und Fremden, er hat den Priester To zur Besorgung des (fürstlichen) Ahnentempels, er hat Wang Sun Gia zur Besorgung des Heerwesens. Da das der Fall ist, was sollte er (sein Reich) verlieren?«

Der Meister sprach: »Wenn jemand etwas redet ohne Schamgefühl, so wird er schwerlich es auch tun.«

*Wenn man einen Menschen zu beobachten Gelegenheit hat, der in
seinen Worten ohne jedes feine Schamgefühl, das allen gediegenen
Menschen eigen ist, sich gehen läßt, von dem kann man ziemlich
sicher sein, daß er bei der Ausführung seiner Worte unzuverlässig
ist.*

22
FÜRSTENMORD*

Freiherr Tschen Tschong hatte (seinen) Fürsten Giën (von
Tsi) ermordet. Meister Kung badete sich und ging zu Hofe.
Er zeigte es dem Fürsten Ai an und sprach: »Tschen Hong hat
seinen Herren gemordet; ich bitte es zu ahnden.« Der Fürst
(Ai) sprach: »Zeige es den drei Freiherren an.« Meister Kung
sprach: »Nachdem ich ein öffentliches Amt bekleidet habe,
wagte ich es nicht, keine Anzeige zu erstatten. Und da spricht
der Herr: ›Zeige es den drei Freiherren an.‹« Er ging zu den
drei Freiherren und machte Anzeige. Es half aber nichts.
Meister Kung sprach: »Nachdem ich ein öffentliches Amt bekleidet habe, wagte ich es nicht, keine Anzeige zu erstatten.«

* Der Vorfall fiel ins Jahr 481, zwei Jahre vor Kungs Tod. Kungs Meinung war,
daß man nicht dulden dürfe, daß im Nachbarstaat eine solche Untat vorkomme,
um nicht die öffentliche Moral zu gefährden. Darum remonstriert er auf solenne
Weise (Baden und Fasten war vor heiligen Handlungen üblich). Der Fürst Ai
aber, machtlos in den Händen der 3 Adelsgeschlechter (Gi, Mong und Schu),
wagt nicht einzugreifen und verweist ihn an diese. Überaus taktvoll ist Kungs
Mißbilligung darüber ausgedrückt. Daß er bei den Adelsgeschlechtern, die dieselben Tendenzen hatten wie der Fürstenmörder im Nachbarstaat, kein Gehör
finden werde, war ihm von Anfang an klar. Dennoch geht er hin.

23
FÜRSTENDIENST

Dsï Lu fragte, wie man dem Fürsten diene. Der Meister
sprach: »Ihn nicht betrügen und ihm widerstehen.«

DER EDLE UND DER GEMEINE
I: ERFAHRUNG

Der Meister sprach: »Der Edle ist erfahren in hohen (Dingen), der Gemeine ist erfahren in niedrigen (Dingen).«

VERSCHIEDENER
ZWECK DER KENNTNISSE

Der Meister sprach: »Die Lernenden des Altertums taten es um ihrer selbst willen, die Lernenden von heute um der Menschen willen.«

EIN GUTER BOTE

Gü Be Yü sandte einen Mann zu Meister Kung. Meister Kung lud ihn ein zu sitzen und fragte ihn aus und sprach: »Was macht (dein) Meister?« (Jener) erwiderte und sprach: »Mein Meister wünscht seine Fehler zu verringern, aber er bringt es noch nicht fertig.« Der Bote ging weg, da sprach der Meister: »Das ist ein Bote! Das ist ein Bote!«

GEGEN KAMARILLAWIRTSCHAFT

Der Meister sprach: »Wer nicht das Amt dazu hat, der kümmere sich nicht um die Regierung.«

BESCHEIDENHEIT

Meister Dsong sprach: »Der Edle geht in seinem Denken nicht über seine Stellung hinaus.«

WORTE UND TATEN II

Der Meister sprach: »Der Edle schämt sich davor, daß seine Worte seine Taten übertreffen.«

Der Meister sprach: »Zum Pfad des Edlen gehören drei
Stücke, die ich nicht kann: Sittlichkeit macht ihn frei von
Leid, Weisheit macht ihn frei von Zweifeln, Entschlossenheit
macht ihn frei von Furcht.«
Dsï Gung sprach: »Das hat der Meister selbst gesagt.«

31
RICHTET NICHT

Dsï Gung (pflegte) die Menschen (untereinander) zu vergleichen. Der Meister sprach: »Sï* muß ja wahrlich sehr würdig sein! Ich habe zu so etwas keine Zeit.«

* Sï ist der Rufname Dsï Gungs.

32
GRUND ZUM KUMMER

Der Meister sprach: »Nicht kümmere ich mich darüber, daß
die Menschen mich selbst nicht kennen, sondern darüber, daß
sie nicht fähig sind (das Reich zu reformieren).«

33
ARGLOSES WISSEN

Der Meister sprach: »Nicht begegnen dem Betrug und nicht
sich rüsten auf Unglauben und dennoch sie auch vorausfühlen.
Wer das (kann), der dürfte ein Würdiger sein.«

34
SELBSTVERTEIDIGUNG

We-Schong Mou redete zu Meister Kung und sprach: »Kiu,
warum (treibst du dich immer) so aufgeregt (umher)? Du
willst dich wohl im Wortemachen (üben)?« Meister Kung
sprach: »Ich wage es nicht, bloße Worte zu machen, aber ich
hasse beschränkte Hartnäckigkeit.«

Der Meister sprach: »An einem Roß schätzt man nicht die Stärke, sondern die Rasse.«

Es sprach jemand: »Durch Güte Unrecht zu vergelten, wie ist das?« Der Meister sprach: »Womit soll man dann Güte vergelten? Durch Geradheit vergelte man Unrecht, durch Güte vergelte man Güte.«

Der Meister sprach: »Es gibt keinen, der mich kennt!« Dsï Gung sprach: »Was heißt das, daß niemand den Meister kenne?« Der Meister sprach: »Ich murre nicht wider Gott und grolle nicht den Menschen. Ich forsche hier unten, aber ich dringe durch nach oben. Wer mich kennt, das ist Gott.«

Gung Be Liau hatte Dsï Lu bei dem Freiherrn Gi verleumdet. Der Graf Dsï-Fu Ging zeigte es (dem Meister) an und sprach: »Unser Herr ist allerdings in seiner Meinung irregeleitet worden, aber was den Gung Be Liau anlangt, so reicht meine Macht aus, es dahin zu bringen, daß (sein Leichnam) bei Hofe oder auf dem Markt ausgestellt wird.« Der Meister sprach: »Wenn die Wahrheit sich ausbreiten soll, so ist das (Gottes) Wille; wenn die Wahrheit untergehen soll, so ist das Gottes Wille. Was kann der Gung Be Liau gegen den Willen Gottes?«

WELTFLUCHT

Der Meister sprach: »Die Würdigsten ziehen sich von der *Welt* zurück. Die Nächstfolgenden ziehen sich von einem bestimmten *Ort* zurück. Die Nächstfolgenden ziehen sich vor (unfreundlichen) *Mienen* zurück. Die Nächstfolgenden ziehen sich vor *Worten* zurück.«

Es gibt verschiedene Gründe der Weltflucht. Die Würdigsten haben überhaupt der Welt prinzipiell abgesagt. Andere gibt es, die ziehen sich in die Einsamkeit zurück, um der Ungerechtigkeit eines bestimmten Landes zu entgehen. Wieder andere ziehen sich zurück, wenn sie bei ihrem Herrscher auf unfreundliche Mienen und abweisendes Betragen stoßen. Die letzten endlich ziehen sich zurück, wenn sie geradezu dazu aufgefordert worden sind.

40
KULTURSCHÖPFER*

Der Meister sprach: »Sieben Männer gibt es, die geschaffen haben.«

* Die sieben Kulturschöpfer sind wohl 1. Yau, 2. Schun, 3. Yü, 4. Tang, 5. König Wen, 6. König Wu, 7. Dschou Gung.

41
AM STEINTOR

Dsï Lu übernachtete am Steintor. Der Türmer sprach: »Woher?« Dsï Lu sprach: »Von einem namens Kung.« Da sprach (jener): »Ist das nicht der (Mann), der weiß, daß es nicht geht, und dennoch fort macht?«

42
DES MEISTERS
MUSIK UND DER EREMIT

Der Meister spielte im (Staate) We auf dem Musikstein. Da ging ein Mann mit einem Strohkorb auf der Schulter an der Tür Kungs vorüber und sprach: »Wahrlich, er hat es im Herzen, der (da) den Musikstein spielt!« Nach einer Weile da sprach er: »Wahrlich verächtlich ist dieses hartnäckige Gebimmel. Wenn einen niemand kennt, so läßt man es sein, und damit fertig. ›Durch tiefes, tiefes Wasser muß man mit den Kleidern durch, durch seichtes Wasser kann man mit aufgeschürzten Kleidern waten.‹« Der Meister sprach: »Wahrlich, das ist Entschiedenheit, (aber) dabei ist keine Schwierigkeit.«

Im Staate We spielte einst der Meister auf einem Instrument aus klingenden Steinen, um seiner Stimmung Ausdruck zu geben. Da begab es sich, daß ein taoistischer Eremit, der sich von der Welt zurückgezogen hatte, mit einem Strohkorb auf der Schulter vor Kungs Hause vorüberging. Als er die Musik hörte, blieb er stehen und horchte, dann sprach er: „Dem geht's zu Herzen, das Leid der Welt, der da drin Musik macht.‹ Nach aber einer Weile fügte er hinzu: »Und doch, wie beschränkt ist die Hartnäckigkeit, die aus seinem Gebimmel spricht. Wenn man nichts von uns wissen will, so gibt man es einfach auf, und damit ist's gut, wie es im Buch der Lieder heißt (I, III, 9):

> *»Geht das Wasser zum Gürtel, dann einfach durch.*
> *Geht's nur zum Knie, dann mag man sich schürzen.«*

Der Meister sprach, als er das hörte: »Der hat leicht reden, seine Art von Konsequenz ist nicht schwer.«

43

HOFTRAUER

Dsï Dschang sprach: »Im ›Buch‹ steht: ›Gau Dsung weilte im Trauerzelt und sprach drei Jahre lang kein Wort.‹ Was bedeutet das?« Der Meister sprach: »Warum (nennst du) gerade Gau Dsung? Die Alten machten es alle so. Wenn der Fürst verschieden war, so besorgten die hundert Beamten das Ihrige, indem sie auf den Kanzler hörten drei Jahre lang.«

44

MACHT DER KULTUR

Der Meister sprach: »Wenn die Oberen Kultur lieben, so ist das Volk leicht zu verwenden.«

45

DER EDLE:

AUSBILDUNG DER PERSÖNLICHKEIT

Dsï Lu fragte nach dem (Wesen des) Edlen. Der Meister sprach: »Er bildet sich selbst aus (sittlichem) Ernst.« (Dsï Lu) sprach: »Ist es damit schon fertig?« (Der Meister) sprach: »Er bildet sich selbst, um andern Frieden zu geben.« (Dsï Lu) sprach: »Ist es damit schon fertig?« (Der Meister) sprach: »Er bildet sich selbst, um den hundert Namen Frieden zu geben. Sich selbst bilden, um den hundert Namen Frieden zu geben: selbst Yau und Schun machte das noch Schwierigkeiten.«

46

DER ALTE YÜAN

(Yüan Jang blieb auf dem Boden) hocken, als er (auf den Meister) wartete. Der Meister sprach: »In der Jugend war er nicht folgsam und bescheiden, erwachsen hat er nichts (Bemerkenswertes) geleistet, jetzt ist er alt und stirbt nicht einmal: das ist ein (Tag-)dieb.« Damit nahm er seinen Stab und schlug ihm auf den Schenkel.

47

DER JUNGE AUS KÜO

Ein Junge aus der Gegend von Küo war (bei dem Meister) angestellt, um Gäste zu melden. Es fragte jemand über ihn und sprach: »Macht er Fortschritte?« Der Meister sprach: »Ich sehe, daß er sich immer auf den Platz (eines Erwachsenen) setzt, ich sehe, daß er älteren Personen nicht den Vortritt läßt: er strebt nicht danach, Fortschritte zu machen, er will es rasch zu etwas bringen.«

BUCH XV

Das Buch schließt sich in der ganzen Art einigermaßen an das vorige an, wenn es auch mehr einzelne Aphorismen enthält als jenes und weniger historische Beziehungen. Ebenso wie das letzte Buch enthält es eine Reihe von Aussprüchen, die für die Feststellung der Lehre Kungs von grundlegender Wichtigkeit sind.

1
DER MEISTER IN WE UND TSCHEN

Der Fürst Ling von We fragte den Meister Kung nach (dem Wesen) der Schlachtordnung. Meister Kung erwiderte und sprach: »Was Opferplatten- und Opferschalenangelegenheiten betrifft, so habe ich davon gehört. Heeres- und Truppenangelegenheit habe ich noch nicht gelernt.« Daraufhin reiste er am folgenden Tage ab.

In Tschen gingen die Lebensmittel aus. Die Nachfolger wurden so schwach, daß sie nicht aufstehen konnten. Dsï Lu erschien murrend (bei dem Meister) und sprach: »Gibt es für den Edlen auch (Zeiten der) Not?« Der Meister sprach: »Der Edle bleibt fest in der Not. Wenn der Gemeine in Not kommt, so wird er trotzig.«

2
DIE SUMME DES WISSENS

Der Meister sprach: »Sï, du hältst mich wohl für einen, der vieles gelernt hat und es auswendig kann?« Er erwiderte und sprach: »Ja, ist es nicht so?« (Der Meister) sprach: »Es ist nicht so; ich habe Eines, um (alles) zu durchdringen.«

3
DIE MACHT DES GEISTES

Der Meister sprach: »Yu, wenige sind ihrer, die die Macht des Geistes kennen.«

4

VOM NICHT-TUN

Der Meister sprach: »Wer ohne etwas zu tun (das Reich in) Ordnung hielt, das war Schun. Denn wahrlich: was tat er? Er wachte ehrfürchtig über sich selbst und wandte ernst das Gesicht nach Süden, nichts weiter!«*

* Dieses Nicht-tun (Wu We) spielt auch in der taoistischen Philosophie eine große Rolle. Der Sinn ist der, daß, wie der Himmel ohne irgend eine sinnfällige Äußerung die ganze Welt in ihrem regelmäßigen Gang erhält nur durch die stille Wirksamkeit des ewigen Gesetzes der Vernunft (Tao), so auch der Mensch, der zum Herrscher berufen ist, nur durch die geistige Schwerkraft seines Wesens alles in Ordnung halte. Kung stimmt in diesem Punkt vollkommen mit Lao Dsï überein.

5

GEHEIMNIS DES ERFOLGS

Dsï Dschang fragte nach (den Bedingungen des) Vorwärtskommens. Der Meister sprach: »Im Reden gewissenhaft und wahr sein, im Handeln zuverlässig und sorgfältig sein: ob man auch unter den Barbaren des Südens oder Nordens weilt, damit wird man vorwärtskommen. Wenn man aber im Reden nicht gewissenhaft und wahr ist und im Handeln nicht zuverlässig und sorgfältig: ob man auch in der nächsten Nachbarschaft bleibt: kann man damit überhaupt vorwärtskommen? Wenn man steht*, so sehe man diese Dinge wie das Zweigespann vor sich, wenn man im Wagen sitzt, so sehe man sie wie die Seitenwände neben sich. Auf diese Weise wird man vorwärtskommen.« Dsï Dschang schrieb es sich auf seinen Gürtel.

* Das Gleichnis ist von einem Wagen genommen, wie aus der zweiten Hälfte unzweifelhaft hervorgeht.

6

URTEIL ÜBER ZEITGENOSSEN
I: DSÏ YÜ UND GÜ BE YÜ VON WE

Der Meister sprach: »Gerade wahrlich war der Geschichtsschreiber Yü! Wenn das Land in Ordnung war, so war er wie ein Pfeil; wenn das Land ohne Ordnung war, so war er wie ein Pfeil.«

»Ein Edler ist wahrlich Gü Be Yü! Wenn das Land in Ordnung ist, so ist er im Amt; wenn das Land ohne Ordnung ist, so kann er (sein Wissen) zusammenrollen und es im Busen verbergen.«

7
WORTE UND MENSCHEN

Der Meister sprach: »Trifft man einen, mit dem zu reden es sich verlohnte, und redet nicht mit ihm, so hat man einen Menschen verloren. Trifft man einen, mit dem zu reden sich nicht verlohnt, und redet doch mit ihm, so hat man seine Worte verloren. Der Weise verliert weder einen Menschen noch seine Worte.«

8
DAS LEBEN IST
DER GÜTER HÖCHSTES NICHT

Der Meister sprach: »Ein willensstarker Mann von sittlichen Grundsätzen strebt nicht nach Leben auf Kosten seiner Sittlichkeit. Ja es gab solche, die ihren Leib in den Tod gaben, um ihre Sittlichkeit zu vollenden.«

9
DER WEG ZUR SITTLICHKEIT

Dsï Gung fragte, (was man tun müsse) um sittlich vollkommen zu werden. Der Meister sprach: »Ein Arbeiter, der seine Arbeit recht machen will, muß erst seine Werkzeuge schleifen. Wenn du in einem Lande wohnst, so diene dem Würdigsten unter seinen Großen und mache dir die Besten unter seinen Gelehrten zu Freunden.«

10
REGIERUNGSGRUNDSÄTZE

Yen Yüan fragte nach (den Grundsätzen für die) Regierung eines Landes. Der Meister sprach: »In der Zeiteinteilung der

Hiadynastie folgen, im Staatswagen der Yindynastie fahren, die Kopfbedeckung der Dschoudynastie tragen. Was die Musik anlangt, so nehme man die Schaumusik mit ihren rhythmischen Bewegungen. Den Klang der Dschong(musik) verbieten und beredte Menschen fernhalten; denn der Klang der Dschong(musik) ist ausschweifend, und beredte Menschen sind gefährlich.«

Der Lieblingsjünger Yen Yüan (Hui) fragte nach den Grundsätzen der Landesregierung. Der Meister antwortete: »Was für den Herrscher vor allem notwendig ist, das ist, daß der Verlauf des menschlichen Lebens mit den ewigen Ordnungen der Welt übereinstimmt; das geschieht durch die Ordnung der Zeit. Bei dieser Ordnung der Zeit schließe man sich an die Ordnung der Hiadynastie an, die das Jahr mit dem Frühling beginnen läßt: auf diese Weise steht die menschliche Tätigkeit am schönsten im Einklang mit dem Naturlauf. Die zweite notwendige Handlung des Herrschers besteht in der Ordnung der Gebrauchsgegenstände des täglichen Lebens. Für diese Gebrauchsgegenstände ist der wichtigste Grundsatz einfache und solide Sachlichkeit, wie das zur Zeit der Yindynastie üblich war. Die dritte Kultureinrichtung ist die Religion und der Ausdruck der moralischen Gesinnung, wie er in den festlichen Zeremonien zutage tritt. Hier kann man sich der Pracht und Feinheit der Dschoudynastie anschließen, weil diese Pracht die ganze Lebenshaltung hebt. Die Kunst der Musik nehme die klassische Tonkunst des Altertums zum Vorbild, die Reinheit der Stimmung und Vollendung des Ausdrucks verbindet.
Diese Ordnungen müssen als eine objektive Macht gleich Naturgesetzen das ganze Leben regeln. Daher muß man alles fernhalten, was ihre Wirkung beeinträchtigen könnte. Das sind in erster Linie die nervös anreizende moderne Musik, die der Stimmung zu viel Spielraum gibt, und die eindrucksvollen Redner, die durch ihre spitzfindige Subjektivität alle Schranken der Wahrheit überspringen und gerade durch den Einfluß ihrer Subjektivität eine Gefahr für das Gemeinwesen bedeuten.«

11

VORBEDACHT

Der Meister sprach: »Wer nicht das Ferne bedenkt, dem ist Betrübnis nahe.«

Der Meister sprach: »Es ist alles aus! Ich habe noch keinen gesehen, der moralischen Wert liebt ebenso, wie er die Frauenschönheit liebt.«

Der Meister sprach: »Dsang Wen Dschung, das ist einer, der seinen Platz gestohlen hat. Er kannte die Würdigkeit des Hui von Liu Hia und hat ihm doch keine Stellung verschafft.«

Der Meister sprach: »Wenn man selbst (lieber) zu viel tut und wenig von andern erwartet, so bleibt man fern vom Groll.«

Der Meister sprach: »Wer nicht spricht: Wie kann ich das machen? Wie kann ich das machen? – mit dem kann ich nichts machen.«

Der Meister sprach: »Herdenweise zusammensitzen den ganzen Tag, ohne daß die Rede die Pflicht berührt; es lieben, kleine Schlauheiten auszuführen: wahrlich (mit denen hat man es) schwer.«

17

DER EDLE

I: HANDLUNGSWEISE

Der Meister sprach: »Die Pflicht als Grundlage, Anmut beim Handeln, Bescheidenheit in den Äußerungen, Treue in der Durchführung: wahrlich so ist ein Edler!«

18

DER EDLE

II: GRUND ZUM KUMMER

Der Meister sprach: »Der Edle leidet darunter, daß er keine Fähigkeiten hat, er leidet nicht darunter, daß die Menschen ihn nicht kennen.«

19

DER EDLE

III: UNSTERBLICHKEIT

Der Meister sprach: »Der Edle haßt (den Gedanken), die Welt zu verlassen, ohne daß sein Name genannt wird.«

20

DER EDLE

IV: ANSPRÜCHE

Der Meister sprach: »Der Edle stellt Anforderungen an sich selbst, der Gemeine stellt Anforderungen an die (andern) Menschen.«

21

DER EDLE

V: SOZIALE BEZIEHUNGEN

Der Meister sprach: »Der Edle ist selbstbewußt, aber nicht streitsüchtig, umgänglich, aber macht sich nicht gemein.«

VI: URTEIL ÜBER MENSCHEN UND WORTE

Der Meister sprach: »Der Edle wählt nicht nach ihren Worten die Menschen und verwirft nicht nach den Menschen ihre Worte.«

23
PRAKTISCHER IMPERATIV

Dsï Gung fragte und sprach: »Gibt es Ein Wort, nach dem man das ganze Leben hindurch handeln kann?« Der Meister sprach: »Die Nächstenliebe. Was du selbst nicht wünschest, tu nicht an andern.«

24
GERECHTE BEURTEILUNG

Der Meister sprach: »In meinem Verhältnis zu andern: Wen habe ich verleumdet, wen habe ich überschätzt? Wird einer (von mir) hochgeschätzt, so ist er erprobt. Diese (Behandlung der) Untertanen ist die gerechte Ordnung, die die drei Dynastien angewandt haben.«

25
EINST UND JETZT

Der Meister sprach: »Ich habe noch erreicht (erlebt) eines Geschichtschreibers – Lücke im Text –. Wer ein Pferd hatte, lieh es andern zum Reiten. Heute gibt es das nicht mehr.«

26
SCHLAUHEIT UND
UNVERTRÄGLICHKEIT ALS HINDERNISSE

Der Meister sprach: »Geschickte Worte stören geistigen Wert. Ist man im Kleinen nicht nachsichtig, so stört man große Pläne.«

27

DER PARTEIEN GUNST UND HASS

Der Meister sprach: »Wo alle hassen, da muß man prüfen; wo alle lieben, da muß man prüfen.«

28
DIE WAHRHEIT
UND IHRE VERTRETER

Der Meister sprach: »Die Menschen können die Wahrheit verherrlichen, nicht verherrlicht die Wahrheit die Menschen.«

29
FEHLER OHNE BESSERUNG

Der Meister sprach: »Einen Fehler machen und sich nicht bessern: das erst heißt fehlen.«

30
NACHDENKEN UND LERNEN

Der Meister sprach: »Ich habe oft den ganzen Tag nicht gegessen und die ganze Nacht nicht geschlafen, um nachzudenken. Es nützt nichts; besser ist es, zu lernen.«

31
DER EDLE
VII: DIE VORNEHMSTE SORGE

Der Meister sprach: »Der Edle trachtet nach der Wahrheit, er trachtet nicht nach Speise. Beim Pflügen kann man in Not kommen; beim Lernen kann man zu Brot kommen. Der Edle trauert um der Wahrheit willen, er trauert nicht um der Armut willen.«

32
WAS EIN REGENT BRAUCHT

Der Meister sprach: »(Wenn einer) durch sein Wissen (ein Amt) erreicht hat, aber es nicht durch seine Sittlichkeit bewahren kann, so wird er es, obwohl er es erlangt hat, verlieren. Wenn einer durch sein Wissen es erreicht hat, durch seine Sittlichkeit es bewahren kann, aber bei seiner Ausübung keine Würde zeigt, so wird das Volk ihn nicht ehren. Wenn einer durch sein Wissen es erreicht hat, durch seine Sittlichkeit es bewahren kann, bei seiner Ausübung Würde zeigt, aber es nicht entsprechend dem Gesetz der schönen Form bewegt, so ist er noch nicht tüchtig.«

Um eine leitende Stellung unter den Menschen zu bekommen, dazu bedarf es vor allem des überlegenen Wissens. Zur Festhaltung einer solchen Position ist aber Sittlichkeit vonnöten. Ohne die Sittlichkeit wird sich auch eine schon errungene Stellung nicht dauernd festhalten lassen. Diese materialen Qualitäten bedürfen in ihrer Erscheinung noch der Vollendung durch die rechte Form: die W ü r d e muß herrschen, die die Achtung der Untergebenen erzeugt, und als Regel für alle Handlungen die A n m u t, die den Stempel der Vollendung auf alles drückt.

33

DER EDLE UND DER GEMEINE

VIII: VERSCHIEDENE VERWENDBARKEIT

Der Meister sprach: »Den Edlen kann man nicht an Kleinigkeiten erkennen, aber er kann Großes übernehmen. Der kleine Mann kann nicht Großes übernehmen, aber man kann ihn in Kleinigkeiten erkennen.«

34

SITTLICHKEIT ALS LEBENSELEMENT

Der Meister sprach: »Sittlichkeit ist noch mehr für die Menschen als Wasser und Feuer. Ins Feuer und Wasser habe ich schon Menschen treten sehen und daran sterben. Noch nie habe ich einen gesehen, der in die Sittlichkeit trat und daran starb.«

35

KEINEN VORTRITT

Der Meister sprach: »Die Sittlichkeit ist jedes Menschen Pflicht. Hier darf man (sogar) dem Lehrer nicht den Vortritt lassen.«

36

DER EDLE

IX: FESTIGKEIT

Der Meister sprach: »Der Edle ist beharrlich, aber nicht hartnäckig.«

37

GEWISSENHAFTER FÜRSTENDIENST

Der Meister sprach: »Im Dienst des Fürsten soll man sein Werk wichtig nehmen und sein Einkommen hintansetzen.«

38

JENSEITS DER STANDESUNTERSCHIEDE

Der Meister sprach: »Beim Lehren gibt es keine Standesunterschiede.«

39

PRINZIPIELLE ÜBEREINSTIMMUNG

ALS GRUNDLAGE

FÜR GEMEINSAME ARBEIT

Der Meister sprach: »Wenn man in den Grundsätzen nicht übereinstimmt, kann man einander keine Ratschläge geben.«

40

DEUTLICHKEIT DES STILS

Der Meister sprach: »Wenn man sich durch seine Rede verständlich macht, so ist der Zweck erreicht.«

41

DER MEISTER

UND DER BLINDE MUSIKER

Der Musikmeister Miën machte einen Besuch. Als er vor die Stufen kam, sprach der Meister: »Hier sind Stufen.« Bei der Matte angelangt, sprach der Meister: »Hier ist die Matte.«

Als alle saßen, teilte es (ihm) der Meister mit und sprach: »Der und der ist hier, der und der ist da.«

Als der Musikmeister Miën hinausgegangen war, fragte Dsï Dschang und sprach: »Ist das die Art, wie man mit einem Musikmeister zu reden hat?« Der Meister sprach: »Ja, sicherlich muß man einem Musikmeister so behilflich sein.«*

* Die Musiker waren zu jener Zeit alle Blinde, daher die rücksichtsvolle Art, mit der Kung ihm alles mitteilt, um ihm jede Verlegenheit zu ersparen.

Kungfutse mit seinen Jüngern im Gespräch. Siehe Buch VI, 21: Der Meister sprach: »Der Wissende freut sich am Wasser, der Fromme freut sich am Gebirge. Der Wissende ist bewegt, der Fromme ist ruhig; der Wissende hat viele Freuden, der Fromme hat langes Leben.« Holzschnitt aus dem 16. Jahrhundert

BUCH XVI

1
UNGERECHTER FELDZUG

Das (Haupt des) Geschlechts Gi war im Begriff, einen Strafzug gegen (die kleine Herrschaft) Dschuan Yü zu unternehmen. Jan Yu und Gi Lu erschienen vor Meister Kung und sprachen: »Das (Haupt des) Geschlechtes Gi wird eine Unternehmung gegen Dschuan Yü ausführen.« Meister Kung sprach: »Kiu, bist nicht du es, der diesen Fehler macht? Dieses Dschuan Yü ist vor alters von den früheren Königen als Herr (der Opfer für den) Mongberg im Osten ernannt, es gehört also zu den Lehnsgebieten und hat priesterliche Funktionen; was habt ihr damit zu tun, es zu bestrafen?« Jan Yu sprach: »Unser Herr wünscht es! Wir zwei, die wir (seine) Diener sind, wünschen es beide nicht.« Meister Kung sprach: »Kiu, es gibt ein Wort von Dschou Jen, das heißt: ›Wenn man seine Kraft entfalten kann, so trete man in die Reihen; wenn man es nicht kann, so halte man ein.‹ Wer den Gefährdeten nicht stützen kann und dem Gefallenen nicht aufhelfen: wie kann man den als Führer brauchen? Also sind deine Worte falsch. Wenn ein Tiger oder ein Nashorn aus dem Käfig bricht, wenn eine Schildkrötenschale oder ein Nephrit in dem Schrein beschädigt wird: wessen Fehler ist das?« Jan Yu sprach: »Nun ist aber Dschuan Yü stark und nahe bei Bi; wenn man es heute nicht nimmt, so wird es in künftigen Zeiten sicher den Söhnen und Enkeln Schmerzen bereiten.« Meister Kung sprach: »Kiu, der Edle haßt das, wenn man unterläßt zu sagen: ›ich wünsche das‹ und durchaus andere Worte gebraucht. Ich habe gehört, wer ein Reich oder ein Haus hat, braucht nicht besorgt zu sein, wenn es menschenleer ist, sondern er muß besorgt sein, wenn es nicht in Ordnung ist. Er braucht nicht besorgt zu sein, wenn es arm ist, sondern er muß besorgt sein, wenn es nicht in Ruhe ist. Denn wo Ordnung ist, da ist keine Armut, wo Eintracht ist, da ist keine Menschenleere, wo Ruhe ist, da ist kein Umsturz. Da nun dies so ist, so muß man, wenn die Menschen aus fernen Gegenden nicht gefügig sind, Kunst und Moral pflegen, um sie zum Kommen zu bewegen. Wenn man sie zum Kommen bewogen hat, so muß man ihnen Ruhe geben. Nun, Yu und Kiu, unterstützt ihr euren Herrn, aber die Menschen aus fernen Gegenden sind nicht gefügig, und er kann sie nicht zum Kommen bewegen. Im (eigenen) Land herrscht Zwiespalt, Ruin, Entfremdung und Unfrieden, und er kann es nicht bewahren. Dazuhin plant er, Schild und Speer zu erheben innerhalb des Staates. Ich fürchte, die Schmerzen der Enkel Gis werden nicht in Dschuan Yü sein, sondern in seinen eignen Mauern.«

2

DER NIEDERGANG DES REICHS

Meister Kung sprach: »Wenn der Erdkreis in Ordnung ist, so gehen Kultur und Kunst, Kriege und Strafzüge vom Himmelssohn aus. Ist der Erdkreis nicht in Ordnung, so gehen Kultur und Kunst, Kriege und Strafzüge von den Lehnsfürsten aus. Wenn sie von den Lehnsfürsten ausgehen, so dauert es selten länger als zehn Geschlechter, ehe sie (die Macht) verloren haben. Wenn sie von den Adelsgeschlechtern ausgehen, so dauert es selten länger als fünf Geschlechter, ehe sie (die Macht) verloren haben. Wenn die Dienstmannen die Herrschaft im Reich an sich reißen, so dauert es selten länger als drei Generationen, ehe sie sie verloren haben.

Wenn der Erdkreis in Ordnung ist, so ist die Leitung nicht in den Händen der Adelsgeschlechter. Wenn der Erdkreis in Ordnung ist, so gibt es unter den Massen des Volks kein Gerede.«

STRAFE DER USURPATION

Meister Kung sprach: »Das Recht der Beamtenernennung wurde von dem Fürstenhaus genommen seit fünf Geschlechtern. Die Regierung ist auf die Adelsgeschlechter gekommen seit vier Geschlechtern. Deshalb sind der Nachkommen der drei Huan-Geschlechter so wenige.«

4

DREI NÜTZLICHE UND
DREI SCHÄDLICHE FREUNDE

Meister Kung sprach: »Es gibt dreierlei Freunde, die von Nutzen sind, und dreierlei Freunde, die vom Übel sind. Freundschaft mit Aufrichtigen, Freundschaft mit Beständigen, Freundschaft mit Erfahrenen ist von Nutzen. Freundschaft mit Speichelleckern, Freundschaft mit Duckmäusern, Freundschaft mit Schwätzern ist vom Übel.«

5

DREI NÜTZLICHE UND
DREI SCHÄDLICHE FREUDEN

Meister Kung sprach: »Es gibt dreierlei Freuden, die von Nutzen sind, und dreierlei Freuden, die vom Übel sind: Freude an der Selbstbeherrschung durch Kultur und Kunst, Freude am Reden über andrer Tüchtigkeit, Freude an vielen würdigen Freunden: das ist von Nutzen. Freude an Luxus, Freude am Umherstreichen, Freude an Schwelgerei: das ist vom Übel.«

6

DREI FEHLER
IM VERKEHR MIT ÄLTEREN

Meister Kung sprach: »Im Zusammensein mit einem (älteren) Herren gibt es drei Vergehen: wenn er das Wort noch nicht an einen gerichtet hat, zu reden: das ist vorlaut; wenn er das

Wort an einen gerichtet hat, nicht zu reden: das ist versteckt; ehe man seine Miene beobachtet hat, zu reden: das ist blind.«

Meister Kung sprach: »Der Edle hütet sich vor dreierlei. In der Jugend, wenn die Lebenskräfte noch nicht gefestigt sind, hütet er sich vor der Sinnlichkeit. Wenn er das Mannesalter erreicht, wo die Lebenskräfte in voller Stärke sind, hütet er sich vor der Streitsucht. Wenn er das Greisenalter erreicht, wo die Lebenskräfte schwinden, hütet er sich vor dem Geiz.«

Meister Kung sprach: »Der Edle hat eine (heilige) Scheu vor dreierlei: er steht in Scheu vor dem Willen Gottes, er steht in Scheu vor großen Männern, er steht in Scheu vor den Worten der Heiligen (der Vorzeit). Der Gemeine kennt den Willen Gottes nicht und scheut sich nicht vor ihm, er ist frech gegen große Männer und verspottet die Worte der Heiligen.«

Meister Kung sprach: »Bei der Geburt schon Wissen zu haben, das ist die höchste Stufe. Durch Lernen Wissen zu erwerben, das ist die nächste Stufe. Schwierigkeiten haben und doch zu lernen, das ist die übernächste Stufe. Schwierigkeiten haben und nicht lernen: das ist die unterste Stufe des gemeinen Volks.«

Meister Kung sprach: »Der Edle hat neun Dinge, worauf er denkt: beim Sehen denkt er auf Klarheit, beim Hören denkt er auf Deutlichkeit, in seinen Mienen denkt er auf Milde, in seinem Benehmen denkt er auf Würde, in seinen Worten denkt er auf Wahrheit, in seinen Geschäften denkt er auf Gewissenhaftigkeit, in seinen Zweifeln denkt er an das Fragen, im Zorn denkt er an die Schwierigkeit (der Folgen), angesichts des Empfangens denkt er auf Pflicht.«

11
PRINZIPIEN MIT
UND OHNE VERTRETER

Meister Kung sprach: »›Das Tüchtige ansehen, als könnte man es nicht erreichen, das Untüchtige ansehen, als tauche man (die Hand) in heißes Wasser‹: ich habe Leute dieser Art gesehen, ich habe Reden dieser Art gehört. ›Im Verborgenen bleiben, um sich auf sein Ziel vorzubereiten, uneigennützig handeln, um seine Grundsätze zu verbreiten‹: ich habe Reden dieser Art gehört, aber ich habe noch nicht Leute dieser Art gesehen.«

12
URTEIL ÜBER
HISTORISCHE PERSÖNLICHKEITEN:
GING VON TSI UND BE J UND SCHU TSI

Fürst Ging von Tsi hatte an Pferden tausend Viergespanne, aber am Tag seines Todes pries ihn das Volk nicht um einer einzigen guten Eigenschaft willen. Be J und Schu Tsi starben Hungers am Fuß des Schou Yang Berges, aber das Volk preist sie noch bis auf den heutigen Tag.
Das ist gerade wie es heißt: . . .
(Hierher gehört vermutlich der Schluß von XII, 10:
   »Wahrlich nicht um ihres Reichtums willen,
      Einzig nur um ihrer Besonderheit willen.«)

13
DES MEISTERS
VERHÄLTNIS ZU SEINEM SOHN

Tschen Kang fragte den Be Yü und sprach: »Hast du als Sohn (des Meisters) auch noch Außergewöhnliches (von ihm) zu hören bekommen?« Er entgegnete und sprach: »Noch nie. Einmal stand er allein da, als ich (ehrerbietig) mit kleinen Schritten an der Halle vorübereilte. Da sprach er: ›Hast du die Lieder gelernt?‹ Ich erwiderte und sprach: ›Noch nicht.‹ (Da sprach er:) ›Wenn man die Lieder nicht lernt, so hat man nichts zu reden.‹ Da zog ich mich zurück und lernte die Lieder. An einem andern Tag stand er wieder allein da, als ich mit kleinen Schritten an der Halle vorübereilte. Da sprach er: ›Hast du die Riten gelernt?‹ Ich erwiderte und sprach: ›Noch nicht.‹ (Da sprach er:) ›Wenn man die Riten nicht lernt, hat man nichts zur (inneren) Festigung.‹ Da zog ich mich zurück und lernte die Riten. Was ich gehört habe, sind diese beiden (Belehrungen).« Tschen Kang zog sich zurück und sprach erfreut: »Ich habe nach Einem gefragt und habe dreierlei bekommen. Ich habe über die Lieder etwas gehört, ich habe über die Riten etwas gehört; außerdem habe ich gehört, daß der Edle seinen Sohn in (ehrerbietiger) Entfernung hält.«

14

BEZEICHNUNG
DER LANDESFÜRSTIN*

Die Gattin eines Landesfürsten nennt der Fürst: »Gattin«. Sie selbst nennt sich: »Kleines Mädchen«. Die Leute des Landes nennen sie: »Gattin des Fürsten«, gegenüber von anderen Ländern nennen sie sie: »Unsere verlassene kleine Fürstin«. Die Leute anderer Länder nennen sie auch: »Gattin des Fürsten«.

* Der Abschnitt ist gänzlich außerhalb der Sphäre der Lun Yü. Er findet sich in Li Gi I, II, II, 19 und ist vermutlich durch irgend ein Versehen hier in den Text eingedrungen, obwohl er sich auch in den alten Manuskripten findet.

BUCH XVII

Dies Buch enthält einige Geschichten über die Möglichkeiten, die Kung geboten waren, in Dienste von Usurpatoren zu treten. Außerdem verschiedene Gespräche mit Schülern und aphoristische Aussprüche, die zum Teil ihre Parallelen in bisher Dagewesenem haben, zum Teil aber recht interessante Ergänzungen zum Bilde des Meisters geben.

1
BEGEGNUNG MIT
DEM USURPATOR YANG HO*

Yang Ho wünschte den Meister Kung (bei sich) zu sehen. Meister Kung ging nicht, ihn zu sehen. Da sandte er dem Meister Kung ein Schwein. Meister Kung benutzte eine Zeit, da er ausgegangen war, um seinen Dankbesuch zu machen. Er begegnete ihm (aber) auf der Straße. Da redete er zu Meister Kung und sprach: »Komm, ich will mit dir sprechen«, und sprach: »Wer seinen Schatz im Busen birgt und sein Land (dadurch) in Verwirrung bringt: kann man den sittlich nennen?« (Meister Kung) sprach: »Man kann es nicht.« – »Wer bedacht ist auf öffentliche Anstellung und doch immer die Gelegenheit versäumt, kann man den weise nennen?« (Meister Kung) sprach: »Man kann es nicht.« – »Tage und Monde eilen, die Jahre warten nicht auf uns.« – Meister Kung sprach: »Gut, ich werde ein Amt antreten.«

* Yang Ho war der oberste Hausbeamte der Familie Gi, der die Herrschaft an sich gerissen hatte und durch Anstellung Kungs sein Ansehen stärken wollte. Als Kung auf seine Aufforderung, ihn zu besuchen, nicht einging, machte er ihm ein Geschenk, das nach den Regeln der Höflichkeit von seiten Kungs einen Dankesbesuch erforderte. Kung suchte auch hierbei der Begegnung auszuweichen. Unglücklicherweise begegnet er dem Usurpator auf dem Weg. Seine Weisheit besteht nun darin, daß er widerspruchslos die Tiraden des Usurpators über sich ergehen läßt und nur mit einem: »Zu Befehl« antwortet, ohne natürlich in seine Dienste einzutreten. Ein anderes Benehmen wäre für ihn eine Lebensgefahr gewesen.

2
NATUR UND KULTUR

Der Meister sprach: »Von Natur stehen (die Menschen) einander nahe, durch Übung entfernen sie sich voneinander.«

3
UNVERÄNDERLICHKEIT
DES WESENS

Der Meister sprach: »Nur die höchststehenden Weisen und die tiefststehenden Narren sind unveränderlich.«

4
KLEINE ZWECKE, GROSSE MITTEL

Der Meister kam zur Stadt Wu und hörte die Klänge von Saitenspiel und Gesang. Der Meister war belustigt und sprach lächelnd: »Um ein Huhn zu töten, braucht es da ein Ochsenmesser?« Dsï Yu erwiderte und sprach: »Ich habe einst den Meister sagen hören: ›Der Edle, wenn er Bildung erwirbt, bekommt Liebe zu den Menschen; der Geringe, wenn er Bildung erwirbt, läßt sich leicht beherrschen.‹« Der Meister sprach: »Meine Kinder, Yens Worte sind richtig, meine vorigen Worte waren nur im Scherz gesprochen.«

5
MÖGLICHKEIT DES WIRKENS I

Gung-Schan Fu-Jau hatte (die Stadt) Bi besetzt und berief (den Meister). Der Meister war geneigt zu gehen. Dsï Lu war (darüber) unwillig und sprach: »Wenn man kein Unterkommen findet, so stehe man (von der öffentlichen Wirksamkeit) ab, aber warum denn zu diesem Gung Schan gehen!« Der Meister sprach: »Daß er grade *mich* beruft, wie sollte das zufällig sein? Wenn jemand mich braucht, kann ich dann nicht ein östliches Dschoureich gründen?«

DIE FÜNF VORBEDINGUNGEN
DER SITTLICHKEIT

Dsï Dschang fragte den Meister Kung nach (dem Wesen) der Sittlichkeit. Meister Kung sprach: »Auf dem ganzen Erdkreis fünf Dinge durchzuführen, das ist Sittlichkeit.« (Dsï Dschang sprach:) »Darf ich danach fragen?« (Meister Kung) sprach: »Würde, Weitherzigkeit, Wahrhaftigkeit, Eifer und Gütigkeit. Zeigt man Würde, so wird man nicht mißachtet; Weitherzigkeit: so gewinnt man die Menge; Wahrhaftigkeit: so vertrauen einem die Menschen; Eifer: so hat man Erfolg; Gütigkeit: so ist man fähig, die Menschen zu verwenden.«

7

MÖGLICHKEIT DES WIRKENS II

Bi Hi berief (den Meister). Der Meister war geneigt, hinzugehen. Dsï Lu sprach: »Einst habe ich vom Meister gehört: ›Wer in seinem persönlichen Betragen nicht gut ist, mit dem läßt sich der Edle nicht ein.‹ Bi Hi hat Dschung Mou im Aufruhr besetzt; wenn (nun) der Meister hingeht: was soll das?« Der Meister sprach: »Ja, ich habe das gesagt; aber heißt es nicht auch: ›Was wirklich fest ist, mag gerieben werden, ohne daß es abgenutzt wird‹? Heißt es nicht: ›Was wirklich weiß ist, kann auch in eine dunkle Flüssigkeit getaucht werden, ohne daß es schwarz wird‹? Wahrlich, bin ich denn ein Kürbis, den man nur aufhängen kann, aber nicht essen?«

8

DIE SECHS WORTE
UND SECHS VERDUNKELUNGEN

Der Meister sprach: »Yu, hast du die sechs Worte und die sechs Verdunkelungen gehört?« (Dsï Lu) erwiderte und sprach: »Noch nicht.« (Der Meister sprach:) »Setze dich, ich werde sie dir sagen: Sittlichkeit lieben, ohne das Lernen zu lieben: diese Verdunkelung führt zur Torheit; Weisheit lieben, ohne das Lernen zu lieben: diese Verdunkelung führt zu Ziellosigkeit; Wahrhaftigkeit lieben, ohne das Lernen zu lieben: diese Verdunkelung führt zu Beschädigung*; die Geradheit lieben, ohne das Lernen zu lieben: diese Verdunkelung führt zu Grobheit; den Mut lieben, ohne das Lernen zu lieben: diese Verdunkelung führt zu Unordnung; die Festigkeit lieben, ohne das Lernen zu lieben: diese Verdunkelung führt zu Sonderlichkeit.«

* Gemeint ist rücksichtslose Konsequenz, die das eigne und andrer Leben schädigt.

9
DER NUTZEN DES LIEDERBUCHS

Der Meister sprach: »Meine Kinder, warum lernt ihr nicht die Lieder? Die Lieder sind geeignet, um anzuregen; geeignet, um zu beobachten; geeignet, um zu vereinigen; geeignet, um den Groll zu wecken; in der Nähe dem Vater zu dienen, in der Ferne dem Fürsten zu dienen; man lernt (außerdem) viele Namen von Vögeln und Tieren, Kräutern und Bäumen kennen.«

Der Meister sprach: »Meine jungen Freunde, warum beschäftigt ihr euch nicht mit der Poesie? Die Poesie ist geeignet, die Phantasie anzuregen, sie hält uns das Leben in einem Spiegel zur Betrachtung vor und reinigt dadurch die Gefühle; sie erweckt soziale Gesinnungen, sie entfacht den Groll gegen Ungerechtigkeit und Falschheit, sie läßt gute Vorsätze zu sittlichem Handeln in Familie und Staat entstehen. Und außerdem erweitert sie unsere Kenntnis der ganzen organisierten Welt.«

10
DER MEISTER IM GESPRÄCH
MIT SEINEM SOHN ÜBER DIE POESIE

Der Meister redete zu Be Yü und sprach: »Hast du schon (die Lieder im) Dschou Nan und Schau Nan betrieben? Ein Mensch, der nicht das Dschou Nan und Schau Nan treibt, ist der nicht, gleich als stünde er mit dem Gesicht gerade vor der Wand?«

11

SCHEINKULTUR

Der Meister sprach: »›Riten‹ heißt es, ›Riten‹ heißt es: wahrlich, heißt das denn Edelsteine und Seide? ›Musik‹ heißt es, ›Musik‹ heißt es: wahrlich, heißt das denn Glocken und Pauken?«

12

WIDER DIE HOCHTRABENDEN

Der Meister sprach: »Im Äußeren streng und innerlich schwach, (so einen kann man) vergleichen mit den niedrigen Menschen. Ist er nicht wie ein Dieb, der (durch die Wand) gräbt oder einsteigt?«

13

WIDER DIE HEUCHLER

Der Meister sprach: »Jene ehrbaren Leute im Lande sind Räuber der Tugend.«

Es gibt eine Sorte von Frommen, die in der ganzen Gegend im Ruf von Guten und Gerechten stehen: diese Sorte ist es, welche jeden geistigen Wert im Keim erstickt.

14

WIDER DIE SCHWÄTZER

Der Meister sprach: »Auf der Straße hören und auf dem Wege reden ist die Preisgabe des Geistes.«

15

WIDER DIE STREBER

Der Meister sprach: »Jene Niederträchtigen! Wahrlich, kann man denn mit ihnen zusammen dem Fürsten dienen? Wenn sie es noch nicht erreicht haben, so leiden sie darunter, es zu erreichen; wenn sie es dann erreicht haben, so leiden sie darunter, es zu verlieren; wenn sie aber darunter leiden, daß sie es verlieren könnten, so gibt es nichts, zu was sie nicht fortschreiten würden.«

DER WECHSEL
DER FEHLER IM LAUF DER ZEITEN

Der Meister sprach: »Bei den Alten hatten die Leute drei Schwächen, die *so* heute wohl nicht mehr vorkommen: in alter Zeit waren die Schwärmer rücksichtslos, heute sind sie zügellos; in alter Zeit waren die Harten verschlossen, heute sind sie zänkisch und rechthaberisch; in alter Zeit waren die Toren gerade, heute sind sie verschlagen.«

DER SCHEIN TRÜGT

Der Meister sprach: »Glatte Worte und einschmeichelnde Mienen sind selten vereint mit Sittlichkeit.«

DAS GLÄNZENDE UND DAS ECHTE

Der Meister sprach: »Ich hasse es, wie das Violett den Scharlach beeinträchtigt; ich hasse es, wie die Klänge von Dschong die Festlieder verwirren; ich hasse es, wie die scharfen Mäuler Staat und Familien umstürzen.«

Der Meister sprach: »Mir ist die Art zuwider, wie das grelle Violett das tiefe und satte Scharlachrot totschlägt. Mir ist die Art zuwider, wie die auf die Nerven wirkende moderne Musik den strengen Geist der alten und reinen Tonkunst stört. Ebenso ist mir die Art zuwider, wie zungenfertige Schwätzer mit ihren subjektiven Ansichten die festen und geheiligten Grundlagen von Staat und Gesellschaft untergraben.«

WIRKEN OHNE WORTE

Der Meister sprach: »Ich möchte lieber nichts reden.« Dsï Gung sprach: »Wenn der Meister nicht redet, was haben dann wir Schüler aufzuzeichnen?« Der Meister sprach: »Wahrlich, redet etwa der Himmel? Die vier Zeiten gehen (ihren Gang), alle Dinge werden erzeugt. Wahrlich, redet etwa der Himmel?«

ABWEISUNG EINES BESUCHERS

Jü Be wünschte den Meister Kung zu sehen. Meister Kung lehnte es ab, weil er krank sei. Während aber der Bote zur Tür hinausging, nahm er die Laute und sang, damit er es hören sollte.

21
ÜBER DIE TRAUERZEIT

Dsai Wo fragte über die dreijährige Trauerzeit (und sprach): »Ein Jahr ist schon genug. Wenn der Edle drei Jahre lang keine Riten befolgt, so verderben die Riten sicher. Wenn er drei Jahre lang keine Musik ausübt, so geht die Musik sicher zugrunde. Wenn das alte Korn zu Ende ist und das neue Korn sproßt, wenn man beim Feueranmachen die Holzarten wechselt, dann mag es genug sein.« Der Meister sprach: »(Dann) wieder Reis zu essen und in Seide dich zu kleiden: könntest du dich dabei beruhigen?« (Jener) sprach: »Ja.« – »Nun, wenn du dich dabei beruhigen kannst, so magst du es tun. Was aber den Edlen anlangt, so ist er, während er in Trauer ist, nicht imstande, gutes Essen zu genießen; wenn er Musik hört, so erfreut sie ihn nicht; wenn er in Bequemlichkeit weilt, so fühlt er sich nicht wohl. Darum tut er solche Dinge nicht. Nun aber, kannst *du* dich dabei beruhigen, so magst du es tun.« Als Dsai Wo hinausgegangen war, sprach der Meister: »Yü ist doch lieblos! Ein Kind wird drei Jahre alt, ehe es die Arme von Vater und Mutter entbehren kann. Was die dreijährige Trauerzeit anlangt, so ist sie auf dem ganzen Erdkreis die durchgehende Trauerzeit. Hat denn Yü nicht jene drei Jahre lang die Liebe seiner Eltern erfahren?«

22
WIDER DAS NICHTSTUN

Der Meister sprach: »Sich satt essen den ganzen Tag, ohne den Geist mit irgend etwas zu beschäftigen, wahrlich, das ist ein schwieriger Fall. Gibt es denn nicht wenigstens Schach und Dambrett? Das zu treiben ist doch immer noch besser.«

Dsï Lu sprach: »Der Edle schätzt doch wohl den Mut am höchsten.« Der Meister sprach: »Der Edle setzt die Pflicht obenan. Wenn ein Vornehmer Mut besitzt ohne Pflichtgefühl, so wird er aufrührerisch. Wenn ein Geringer Mut besitzt ohne Pflichtgefühl, so wird er ein Räuber.«

Dsï Gung sprach: »Hat der Edle auch (gegen jemand einen) Haß?« Der Meister sprach: »Er hat Haß. Er haßt die, welche der Leute Übles verbreiten; er haßt die, welche in untergeordneter Stellung weilen und die Oberen verleumden; er haßt die Mutigen ohne Formen der Bildung; er haßt die, welche fest und waghalsig, aber beschränkt sind.« Er sprach: »Sï, hast du auch (Leute, die du) hassest?« (Dsï Gung sprach:) »Ich hasse die, welche spionieren und es für Weisheit ausgeben. Ich hasse die Unbescheidenen, die sich für mutig ausgeben, ich hasse die, welche (Geheimes) ausplaudern und es für Geradheit ausgeben.«

Der Meister sprach: »Mit Weibern und Knechten ist doch am schwersten auszukommen! Tritt man ihnen nahe, so werden sie unbescheiden. Hält man sich fern, so werden sie unzufrieden.«

Der Meister sprach: »Wer mit 40 Jahren (unter seinen Nebenmenschen) verhaßt ist, der bleibt so bis zu Ende.«

BUCH XVIII

Dieses Buch enthält eine historische Nachlese. Die Abschnitte 3–7 sind Anekdoten über die Mißerfolge und den Widerspruch, dem Kung während seines Lebens begegnet ist. Sie sind eingerahmt von Anekdoten über Mißerfolge bzw. Resignationen anderer bedeutender Männer aus der Vergangenheit, teils mit, teils ohne Bemerkungen Kungs über sie. Die drei letzten Paragraphen sind Zusätze, die als solche nichts mit Lun Yü zu tun haben.

1
DIE DREI SITTLICHEN
HEROEN DER YINDYNASTIE

Der Herr von We zog sich (vom Hofe) zurück, der Herr von Gi wurde Sklave, Bi Gan machte (dem König Dschou Sin) Vorwürfe und wurde getötet. Meister Kung sprach: »Die Yindynastie hatte drei (Männer von wahrer) Sittlichkeit.«

2
VATERLANDSLIEBE

Hui von Liu Hia war Oberrichter und wurde dreimal entlassen. Da sprach jemand zu ihm: »Meister, ist es noch nicht so weit, daß Ihr Euch besser zurückzöget?« Er sprach: »Wenn ich auf gradem Weg den Menschen dienen will, wohin sollte ich gehen, ohne dreimal entlassen zu werden? Wollte ich aber auf krummen Wegen den Menschen dienen, warum sollte ich es nötig haben, mein Vaterland zu verlassen?«

3
IM STAATE TSI

Der Fürst Ging von Tsi (überlegte) die Behandlungsweise des Meisters Kung und sprach: »Ihn so behandeln wie das Haupt des Geschlechtes Gi kann ich nicht. Ich will ihm eine Stellung geben zwischen der des Hauptes der Gi und der des Hauptes der Mongfamilie.« Später aber sprach er: »Ich bin zu alt, ich kann mich seiner nicht mehr bedienen.« Meister Kung ging.

4

DES MEISTERS

RÜCKTRITT AUS DEM AMT IN LU

Die Leute von Tsi sandten (dem Fürsten von Lu als Geschenk eine Truppe von) weiblichen Musikanten. Freiherr Gi Huan nahm sie an. Drei Tage wurde kein Hof gehalten. Meister Kung ging.

5

DER NARR VON TSCHU

Der Sonderling von Tschu, Dsië Yü, sang ein Lied und ging bei Meister Kung vorbei und sprach:

> »O Vogel Fong, o Vogel Fong,
> Wie sehr dein Glanz verblich!
> Doch was gescheh'n ist, ist gescheh'n,
> Nur künftig hüte dich!
> Gib auf, gib auf dein eitles Müh'n!
> Wer heut' dem Staate dienen will,
> Der stürzt nur in Gefahren sich!«

Meister Kung stieg herab und wünschte mit ihm zu reden, aber jener eilte fort und wich ihm aus. Es gelang ihm nicht, mit ihm zu reden.

6

DIE FURT

Tschang Dsü und Gië Ni waren miteinander mit Feldarbeit beschäftigt. Meister Kung kam bei ihnen vorüber und ließ durch Dsï Lu fragen, (wo) die Furt (sei). Tschang Dsü sprach:

»Wer ist der, der dort im Wagen die Zügel hält?« Dsï Lu sprach: »Das ist Kung Kiu.« Da sprach jener: »Ist das der Kung Kiu aus Lu?« (Dsï Lu) sprach: »Ja, der ist es.« (Darauf) sprach (jener): »Der weiß (ja wohl) die Furt.« Darauf fragte er den Gië Ni. Gië Ni sprach: »Wer ist der Herr?« Er sprach: »Dschung Yu.« Darauf jener: »Bist du ein Schüler des Kung Kiu aus Lu?« Er erwiderte: »Ja.« (Dann) sprach (Gië Ni): »Eine ungeheure Überschwemmung: so sieht es auf dem Erdkreis aus, und wer (ist da), es zu ändern? Und dabei einem Lehrer zu folgen, der sich nur von (einem) Fürsten (zum andern) zurückzieht! Wäre es nicht besser, einem Lehrer zu folgen, der sich von der Welt (überhaupt) zurückzieht? Darauf hackte er weiter, ohne (nochmals) innezuhalten. Dsï Lu ging, um es (dem Meister) anzusagen. Sein Meister seufzte tief und sprach: »Mit den Vögeln und Tieren des Feldes kann man (doch) nicht zusammen hausen; wenn ich nicht mit diesem Geschlecht von Menschen zusammensein will, mit wem soll ich (dann) zusammensein? Wenn der Erdkreis in Ordnung wäre, so wäre ich nicht nötig, ihn zu ändern.«

7

DSÏ LU UND DER ALTE

Dsï Lu folgte (dem Meister Kung) und blieb (auf dem Weg) zurück. Da begegnete er einem alten Manne, der an einem Stab einen Unkrautkorb über der Schulter trug. Dsï Lu fragte ihn und sprach: »Hat der Herr meinen Meister gesehen?« Der Alte sprach: »Deine vier Glieder sind nicht (zur Arbeit) beweglich, die fünf Kornarten kannst du nicht unterscheiden: wer ist dein Meister?« Er steckte seinen Stab in die Erde und jätete. Dsï Lu faltete die Hände (zum Gruß) und blieb aufrecht stehen. Da behielt er Dsï Lu über Nacht, schlachtete ein Huhn, machte einen Hirsebrei und gab es ihm zu essen. Auch stellte er ihm seine zwei Söhne vor. Am andern Tag ging Dsï Lu, um es (dem Meister) anzusagen. Der Meister sprach: »Das ist ein verborgener (Weiser).« Er sandte Dsï Lu, um

ihn nochmals zu sehen. Als er hinkam, war (aber jener) weg-
gegangen. Dsï Lu sprach: »Sich von jedem Amte fern zu
halten, ist wider die Pflicht. Die Schranken zwischen Alt und
Jung darf man nicht verfallen lassen; nun erst die Pflichten
zwischen Fürst und Diener: wie kann man die verfallen
lassen? Wer (nur darauf) bedacht ist, sein eignes Leben rein
zu halten, der bringt die großen menschlichen Beziehungen
in Unordnung. Damit, daß der Edle ein Amt übernimmt, tut
er seine Pflicht. Daß die Wahrheit (heutzutage) nicht durchdringt: das weiß er wohl.«

8

DIE SICH VOR DER WELT VERBARGEN

Die sich unter das Volk zurückgezogen haben, waren: Be J,
Schu Tsi, Yü Dschung, J Yi, Dschu Dschang, Hui von Liu
Hia, Schau Liën.
Der Meister sprach: »Die ihr Ziel nicht erniedrigten und ihre
Person vor Schande bewahrten: das waren Be J und Schu Tsi.
Man (kann) sagen von Hui von Liu Hia und von Schau Liën,
daß sie ihre Ziele erniedrigten und ihre Person in Schande
brachten. Doch trafen sie in ihren Worten das Vernünftige, in
ihrem Wandel trafen sie das Wohlerwogene; so waren sie,
nichts mehr! Von Yü Dschung und J Yi (kann man) sagen,
daß sie in der Verborgenheit lebten und ihren Worten Lauf
ließen; in ihrem persönlichen (Wandel) trafen sie die Reinheit, in ihrem Rückzug trafen sie das den Umständen Ent-
sprechende. Ich nun bin verschieden davon, (für mich gibt es)
nichts (das unter allen Umständen) möglich, und nichts (das
unter allen Umständen) unmöglich wäre.«

9

DER RÜCKZUG
DER MUSIKER VON LU*

Der Kapellmeister Dschï ging nach Tsi; der (Leiter der Musik
beim) zweiten Mahl, Gan, ging nach Tschu; der beim dritten

Mahl, Liau, ging nach Tsai; der beim vierten Mahl, Küo, ging nach Tsin; der Paukenmeister Fang Schu ging über den Gelben Fluß; der Meister der Handpauke, Wu, ging über den Hanfluß; der Unterkapellmeister Yang und der Meister des Musiksteins, Siang, gingen über das Meer.

* Der Abschnitt ist ein Bericht, wie nach Kungs Weggang die Musiker, die unter ihm mit der rechten Art, Musik zu machen, bekannt geworden waren (III, 23), das Land verließen, um nicht Zeugen des Verfalls der Kultur sein zu müssen.

10
DER RAT DES FÜRSTEN
DSCHOU AN DEN FÜRSTEN VON LU

Der Fürst Dschou redete zu dem Fürsten von Lu und sprach: »Der Edle vernachlässigt nicht seine Nächsten; er gibt seinen Dienern keinen Anlaß zum Groll darüber, daß er sie nicht gebraucht; alte Vertraute verwirft er nicht ohne schwerwiegenden Grund; er verlangt nicht Vollkommenes von einem Menschen.«

11
DIE VIER ZWILLINGSPAARE
DER DSCHOUDYNASTIE*

Dschou hatte acht Beamte: Be Da, Be Go, Dschung Du, Dschung Hu, Schu Ye, Schu Hia, Gi Sui, Gi Gua.

* Was dieser Satz hier zu tun hat, ist unklar.

Das 19. Buch führt ein in die Verhältnisse der Schulen, die sich von Kung nach seinem Tode abzweigten. Kein einziger direkter Ausspruch Kungs ist darin enthalten. Beginnend mit zwei Aussprüchen Dsï Dschangs, die ziemlich genaue Reminiszenzen aus früheren Äußerungen des Meisters sind, schildert es in Abschnitt 3 den Übergang einiger Schüler Dsï Hias zu Dsï Dschang, der ihnen gegenüber Kritik an Dsï Hia übt. Darauf folgen 10 Abschnitte mit Äußerungen Dsï Hias, die sich ebenfalls ziemlich enge an frühere Worte des Meisters anschließen und oft nur spezielle Anwendungen oder weitere Ausführungen derselben enthalten. Dazwischen einige Äußerungen Dsï Yus. Die letzte dieser Äußerungen enthält eine Kritik Dsï Dschangs, der offenbar in ziemlich starkem Widerspruch zu *der* Richtung in der Schule Kungs stand, die später die herrschende geworden ist. Die nächsten 3 Abschnitte enthalten Äußerungen Dsong Schens, des Hauptes dieser Schule, worauf noch 8 Abschnitte mit Gesprächen Dsï Gungs (Duan Mu Sï) folgen, die dazu dienen, das Mißverständnis zu beseitigen, das offenbar in der Öffentlichkeit bald nach Kungs Tod aufgekommen war, daß nämlich Dsï Gung noch über dem Meister stehe. Seine eigne Autorität wird dagegen ins Feld geführt. Im ganzen sind die Zustände, in die wir hier einen Einblick tun, nicht besonders erfreulich. Namentlich der Streit mit dem offenbar sehr gewandten Dsï Dschang ist bezeichnend.

1

DAS IDEAL DES GEBILDETEN

Dsï Dschang sprach: »Der Gebildete, der angesichts der Gefahr sein Leben opfert, angesichts des Empfangens auf Pflicht denkt, beim Opfern auf Ehrerbietung denkt, bei den Totenbräuchen auf Trauer denkt: der mag wohl recht sein!«

2
MANGELNDER FORTSCHRITT

Dsï Dschang sprach: »Sein geistiges Wesen festhalten, ohne es zu erweitern, die Wahrheit glauben, ohne zuverlässig zu sein: kann ein solcher als einer gelten, der (die Wahrheit) hat, oder kann er als ein solcher gelten, der sie nicht hat?«

Wer sein Pfund vergräbt, ohne damit zu wuchern, wer der Wahrheit zwar in seinem Intellekt zustimmt, aber ohne daß sie eine Macht in seinem Leben wird, ein solcher ist weder kalt noch warm.

3
DSÏ HIAS JÜNGER BEI DSÏ DSCHANG

Jünger Dsï Hias befragten den Dsï Dschang über den Umgang (mit Menschen). Dsï Dschang sprach: »Was sagt Dsï Hia darüber?« Sie erwiderten: »Dsï Hia sprach: ›Mit denen, die es wert sind, Gemeinschaft haben, die, die es nicht wert sind, fernhalten‹.« Dsï Dschang sprach: »Verschieden davon ist, was ich gehört. Der Edle ehrt die Würdigen und erträgt alle; er rühmt die Tüchtigen und bemitleidet die Unfähigen. Bin ich ein würdiger Charakter, was sollte ich die andern Menschen nicht ertragen können; bin ich ein unwürdiger Charakter, so werden mich die andern von sich fernhalten. Was soll da das Fernhalten der andern?«

4
GEFAHR DES DILETTANTISMUS

Dsï Hia sprach: »Auch die kleinen Liebhaberkünste haben sicher etwas, das sich sehen läßt. Aber wenn man sie zu weit treibt, ist Verwirrung zu befürchten. Darum betreibt sie der Edle nicht.«

5
DER RECHTE PHILOSOPH

Dsï Hia sprach: »Wer täglich weiß, was ihm noch fehlt, und monatlich nicht vergißt, was er kann, der kann ein das Lernen Liebender genannt werden.«

BILDUNG UND SITTLICHKEIT

Dsï Hia sprach: »Ausgebreitete Kenntnisse erwerben und fest
aufs Ziel gerichtet sein, ernstlich fragen und vom Nahen aus
denken: Sittlichkeit liegt darin.«

DAS GLEICHNIS
VON DEN HANDWERKERN

Dsï Hia sprach: »Die hundert Handwerker bleiben in ihren
Werkstätten, um ihre Arbeit zu vollenden; der Edle lernt,
um seine Wahrheit zu erreichen.«

DIE FEHLER DER GEMEINEN

Dsï Hia sprach: »Die Fehler der Gemeinen haben sicher eine
Verzierung.«

*Ein niedrig denkender Mensch wird es stets verstehen, seine Fehler
zu bemänteln.*

DIE DREI
VERWANDLUNGEN DES EDLEN

Dsï Hia sprach: »Dreimal verschieden erscheint der Edle.
(Aus der Ferne) gesehen (erscheint er) streng. Naht man ihm,
so ist er milde. Hört man seine Worte, so ist er unbeugsam.«

DER WERT DES VERTRAUENS

Dsï Hia sprach: »Der Edle (erwirbt sich) das Vertrauen, dann
erst bemüht er seine Untertanen; wenn sie noch kein Vertrauen haben, so halten sie das für Härte gegen sich. Er (erwirbt sich) das Vertrauen (seines Fürsten), dann erst macht
er Vorhaltungen; wenn er noch nicht das Vertrauen (seines
Fürsten) hat, so hält jener es für Beschuldigungen gegen sich.«

Dsï Hia sprach: »Die Menschen von großer Tugend übertreten nie die Grenzen. Leute von kleinerer Tugend mögen
wohl einmal aus- und eingehen.«

12
DSÏ YUS KRITIK
UND DSÏ HIAS REPLIK

Dsï Yu sprach: »Die Schüler Dsï Hias sind (wie) kleine Kinder: im Besprengen (des Fußbodens), Kehren, Gehorchen und
Antworten, Eintreten und Hinausgehen: da sind sie zu brauchen. Aber wenn über den Nebensachen die Hauptsache vernachlässigt wird, was soll das heißen?«
Dsï Hia hörte es und sprach: »Ei, Yen Yu ist im Irrtum! An
der Lehre des Edlen: was ist da wichtig, daß es gelehrt werden muß, und was ist unwichtig, daß es vernachlässigt werden
kann? Sie mag verglichen werden mit den Gräsern und Bäumen, die je nach ihrer Art verschieden behandelt werden
müssen. Die Lehre des Edlen: wie dürfte man die verwirren!
Wer Anfang und Ende zugleich besitzt, das ist nur der
Heilige!«

13
AMT UND STUDIUM

Dsï Hia sprach: »Der Beamte, der Zeit übrig hat, möge
lernen. Der Lernende, der Zeit übrig hat, möge ein Amt antreten.«

14
DIE TRAUER

Dsï Yu sprach: »Bei den Totenbräuchen gehe man nicht weiter als bis zu wirklicher Herzenstrauer.«

Dsï Yu sprach: »Mein Freund (Dsï) Dschang kann (alle möglichen) schwierigen Dinge fertigbringen, aber sittlich (vollkommen) ist er noch nicht.«

16
DSONG SCHENS
KRITIK AN DSÏ DSCHANG

Meister Dsong sprach: »Großartig in seinem Auftreten ist
(Dsï) Dschang, aber es ist schwer, in seiner Gesellschaft Sittlichkeit zu erstreben.«

17
DIE ENTFALTUNG
DES WESENS IN DER TRAUERZEIT

Meister Dsong sprach: »Ich habe vom Meister gehört, wenn
ein Mensch sein eignes Selbst noch nicht entfaltet habe, daß
das sicher in der Trauerzeit geschehen werde.«

18
VORBILDLICHE PIETÄT

Meister Dsong sprach: »Ich habe vom Meister gehört: Die
kindliche Gesinnung des Herren Mong Dschuang mag man
in andern Dingen (zu erreichen) fähig sein. Aber daß er die
Beamten seines Vaters und die Regierungsweise seines Vaters
(nach dessen Tod) nicht veränderte, darin ist es schwerlich
möglich (ihn) zu erreichen.«

19
MENSCHLICHKEIT
GEGEN DIE SCHULDIGEN

Das Oberhaupt des Geschlechts Mong hatte den Yang Fu
zum Oberrichter gemacht. (Dieser) befragte den Meister

Dsong. Meister Dsong sprach: »Daß die Oberen ihren Weg verloren und das Volk in der Irre geht, das dauert nun schon lange. Wenn du daher den Tatbestand (eines Verbrechens) erlangt hast, so sei traurig und mitleidsvoll und freue dich nicht darüber.«

20
DIE GEFAHR
DER FALSCHEN STELLUNG

Dsï Gung sprach: »Die Schlechtigkeit Dschou (Sins) war nicht so gar schlimm (wie man gewöhnlich von ihm denkt). Darum haßt es der Edle, in den Tiefen zu verweilen; denn alle Schlechtigkeiten des ganzen Erdkreises fallen sonst auf ihn.«

21
DIE FEHLER DES EDLEN

Dsï Gung sprach: »Die Fehler des Edlen sind wie die Verfinsterungen der Sonne oder des Mondes. Macht er einen Fehler, so sehen es die Menschen alle. Bessert er ihn, so sehen die Menschen alle wieder zu ihm empor.«

22
DIE QUELLEN VON KUNGS BILDUNG

Gung Sun Tschau von We befragte den Dsï Gung und sprach: »Wie kam Dschung Ni (Kungs Gelehrtennahme) zu seiner Bildung?« Dsï Gung sprach: »Der Pfad der Könige Wen und Wu ist noch nicht auf den Grund gesunken. Er ist noch vorhanden unter den Menschen. Bedeutende Männer wissen noch die Hauptsachen davon, unbedeutende Männer wissen noch die Nebensachen davon. Es gibt keinen Ort, wo der Pfad von Wen und Wu nicht mehr wäre. Wie hätte der Meister ihn da nicht kennenlernen sollen, und was brauchte er dazu einen einzelnen, bestimmten Lehrer?«

Wu Schu von dem Geschlechte Schu redete bei Hofe zu den
Ministern und sprach: »Dsï Gung ist bedeutender als Dschung
Ni.« Dsï-Fu Ging-Be sagte es Dsï Gung an. Dsï Gung sprach:
»Es ist wie bei einem Gebäude und seiner Mauer. Meine
Mauer reicht nur bis zur Schulterhöhe: man kann leicht dar-
über wegsehen und das Schöne des Hauses (erkennen). Des
Meisters Mauer ist viele Klafter hoch. Wer nicht die Tür da-
von erreicht und hineingeht, der sieht nicht die Schönheiten
des Ahnentempels und den Reichtum der hundert Beamten.
Die aber seine Tür erreichen, das sind wohl wenige. Ist es
darum nicht ganz in Ordnung, daß jener Herr so redet?«

Wu Schu von dem Geschlechte Schu schmälte Dschung Ni.
Dsï Gung sprach: »Damit erreicht man nichts. Dschung Ni
kann nicht geschmält werden. Andrer Menschen Bedeutung
ist wie ein Hügel oder wie eine Anhöhe: man kann sie über-
steigen. Dschung Ni ist wie Sonne und Mond: es wird nicht
gelingen, über ihn hinwegzukommen. Wenn einer auch sich
selbst von ihnen scheiden will: was schadet das Sonne und
Mond? Man sieht daraus nur, daß er seine Fähigkeiten nicht
kennt.«

Tschen Dsï Kin redete zu Dsï Gung und sprach: »Ihr seid zu
gewissenhaft; wie sollte Dschung Ni bedeutender sein als
Ihr?« Dsï Gung sprach: »Unter Edlen genügt *ein* Wort, um
als weise zu erscheinen, *ein* Wort, um als unweise zu erscheinen. Darum darf man in seinen Worten nicht unvorsichtig
sein. Die Unerreichbarkeit des Meisters ist wie die Unmöglichkeit, auf Stufen zum Himmel emporzusteigen. Wenn der

Meister ein Land (als Erbe) bekommen hätte (so wäre es ein-
getroffen): ›Was er festsetzt, wird Gesetz, was er befiehlt,
das geschieht; er gibt ihnen Frieden, und sie kommen herbei;
was er bewegt, das ist im Einklang. Sein Leben ist herrlich,
sein Tod schafft Trauer.‹ Wie wäre es möglich, ihn zu erreichen?«

Ältestes bekanntes Bild des Kungfutse (Konfuzius), nach ei-
nem Gemälde von Wu Dau Dsi, Maler der Tang-Dynastie
8. Jahrh. n. Chr.

Das XX. Buch enthält nur drei Abschnitte von sehr unter-
schiedlicher Länge. Der Zweck dieses Buches ist kein anderer
als der, Kung einzureihen unter die Großen Heiligen der
Vorzeit. Daher zur Einleitung die feierlichen Einsetzungs-
worte, die Yau gesprochen, als er die Herrschaft über den
Erdkreis an seinen Nachfolger Schun übertrug, und die Schun
gesprochen, als er sie an den großen Yü weitergab. Darauf
das Gebet des Königs Tang, der den Tyrannen Gië, den letzten Fürsten der Hiadynastie, stürzte. Ferner eine Schilderung
der Regierungsgrundsätze der Dschoudynastie, die ihrerseits
wiederum die von Tang gegründete Schang- oder Yindynastie
ablöste. Die Worte zum Schluß erinnern ganz auffallend an
das Gespräch Kungs mit Dsï Dschang über die Staatsregierung XVII, 6. Nun wird Kung selbst eingeführt mit seinen
Prinzipien bezüglich der Regierung des Erdkreises, wieder in
einem Gespräch mit Dsï Dschang, das mit jenem eben er-
wähnten formell verwandt ist. Den Schluß des ganzen Werks
bildet ein kurzer Ausspruch des Meisters, der seine Grundsätze im allgemeinen zusammenfaßt.

1
DIE HEILIGEN FÜRSTEN DER VORZEIT

Yau sprach: »Du, o Schun! Des Himmels Bestimmung der
Zeiten kommt an deine Person. Halte treulich diese Mitte.
Wenn die (Menschen innerhalb der) vier Meere in Bedrängnis und Mangel kommen, so wird des Himmels Lohn für
ewig zu Ende sein.«
Schun gebrauchte auch (diese Worte), um Yü zu betrauen. –
. . .* sprach: »Ich, dein Sohn Li, wage es, ein dunkelfarbe-
nes Rind zu opfern; ich wage es, dir zu unterbreiten, o er-

---

* Hier fehlt die Bezeichnung. Unzweifelhaft ist Tang gemeint, wie aus dem Vornamen Li hervorgeht.

habener, erhabener Herrscher Gott, daß ich dem Sünder nicht wagte zu verzeihen; deine Knechte, o Gott, will ich nicht verdunkeln, ihre Prüfung geschehe nach deinem Herzen, o Gott. Wenn ich selbst Sünde habe, so rechne sie nicht den zehntausend Gegenden zu; wenn die zehntausend Gegenden Sünde haben, so bleibe die Sünde auf meinem Leib.«

»Dschou hat großen Lohn:
Tüchtige Männer sind dieser Reichtum.
Obwohl Dschou Verwandte hat,
(Stehen sie ihm) nicht so (hoch) wie gute Menschen.
Wenn das Volk Fehler hat,
So mögen sie auf mich allein kommen.«

. . .* Sie achteten sorgsam auf Wage und Maß, prüften Gesetze und Rechte, setzten entlassene Beamte wieder ein, und die Regierung der vier Himmelsgegenden nahm ihren Lauf. Sie brachten erloschene Staaten wieder zur Blüte, sie gaben abgebrochenen Geschlechtern Fortsetzung, sie zogen Leute ans Licht, die sich in Verborgenheit zurückgezogen hatten. Und alles Volk unter dem Himmel wandte (ihnen) sein Herz zu. Was sie besonders wichtig nahmen, war die Nahrung des Volks, Totenbräuche und Opfer. Sie waren weitherzig, so gewannen sie die Massen; sie waren treu, so vertraute ihnen das Volk; sie waren eifrig, so hatten sie Erfolg; sie waren gerecht, so waren (alle) befriedigt.

* Auch hier fehlt die Einleitung.

2

DER RECHTE HERRSCHER

Dsï Dschang befragte den Meister Kung und sprach: »Wie muß man handeln, damit man imstande sei, (gut) zu regieren?« Der Meister sprach: »Achte die fünf schönen (Eigenschaften) hoch und beseitige die vier üblen, dann bist du imstande, (gut) zu regieren.« Dsï Dschang fragte: »Welche (Eigenschaften) heißen die fünf schönen?« Der Meister sprach: »Der Herrscher ist gnädig, ohne Aufwand zu machen; er bemüht (das Volk), ohne daß es murrt; er begehrt, ohne gierig zu sein; er ist erhaben, ohne hochmütig zu sein; er ist ehrfurchtgebietend, ohne heftig zu sein.«

Dsï Dschang fragte: »Was heißt das, gnädig sein, ohne Aufwand zu machen?« Der Meister sprach: »Wenn man die (natürlichen Quellen) des Reichtums der Untertanen benützt, um sie zu bereichern: ist das denn nicht Gnade ohne Aufwand? Wenn man vorsichtig auswählt, (womit man das Volk gerechterweise) bemühen darf, und es dann (entsprechend) bemüht: wer wird da murren? Wenn man Sittlichkeit begehrt und Sittlichkeit erreicht, wie wäre das gierig? Wenn der Herrscher ohne Rücksicht, ob (er es mit) vielen oder wenigen, ohne Rücksicht, (ob er es mit) Großen oder Kleinen (zu tun hat), nicht wagt, (die Menschen) geringschätzig zu behandeln: ist das denn nicht erhaben, ohne hochmütig zu sein? Wenn der Herrscher seine Kleidung und Kopfbedeckung ordnet, auf seine Mienen und Blicke achtet, daß er eine Hoheit (zeigt), so daß die Menschen, die ihn sehen, sich scheuen: ist das denn nicht ehrfurchtgebietend, ohne heftig zu sein?«

Dsï Dschang sprach: »Welche (Eigenschaften) heißen die vier üblen?« Der Meister sprach: »Ohne (vorherige) Belehrung zu töten: das heißt Grausamkeit; ohne (vorherige) Warnung (die auferlegten Arbeiten) fertig sehen (zu wollen): das heißt Gewalttätigkeit; nachlässige Befehle erteilen und (doch) auf Einhaltung der Zeit (bei der Ausführung dringen): das heißt Unrecht; und schließlich: wenn man (Belohnungen) an (verdiente) Leute gewährt, bei ihrer Verteilung zu geizen: das heißt Kleinlichkeit.«

3
DIE SUMME DER LEHRE

Der Meister sprach: »Wer nicht den Willen Gottes kennt, der kann kein Edler sein. Wer die Formen der Sitte nicht kennt, der kann nicht gefestigt sein. Wer die Rede nicht kennt, der kann nicht die Menschen kennen.«

LITERATURHINWEIS

RICHARD WILHELM, Kung-Tse. Leben und Werk.
Stuttgart 1925 (Frommanns Klassiker der Philosophie, Bd. 25)

RICHARD WILHELM, Die chinesische Literatur.
Wildpark-Potsdam 1926 (Handbuch der Literaturwissenschaft)

RICHARD WILHELM, K'ungtse und der Konfuzianismus.
Berlin 1928 (Sammlung Göschen)

WOLFGANG FRANKE, Das Jahrhundert der chinesischen Revolution 1851–1949. München 1958

PIERRE DO-DINK, Konfuzius in Selbstzeugnissen und Bilddokumenten. Reinbek 1960 (Rowohlts Monographien)

KUNGFUTSE, Schulgespräche · Gia Yü. Aus dem Chinesischen übertragen von Richard Wilhelm. Aus dem Nachlaß herausgegeben von Hellmut Wilhelm. Düsseldorf/Köln 1961

VICTORIA CONTAG, Konfuzianische Bildung und Bildwelt. Zürich 1964

BRUNHILD STAIGER, Das Konfuzius-Bild im kommunistischen China. Die Neubewertung von Konfuzius in der chinesisch-marxistischen Geschichtsschreibung. Wiesbaden 1969 (Schriften des Asieninstituts in Hamburg, Bd. 23)

WOLFGANG BAUER, China und die Hoffnung auf Glück. Paradiese, Utopien, Idealvorstellungen. München 1971 (Carl Hanser) – Auch als Taschenbuch: München 1974 (dtv 4158)

H. P. LAIR AND L. C. WANG, An illustrated Life of Confucius: From Tablets in the Temple at Chüfu, Shantung. 1972

ELIAS CANETTI, Konfuzius in seinen Gesprächen. In: E. C., Die gespaltene Zukunft. München 1972 (Reihe Hanser 111)

HERMANN HESSE UND CHINA. Darstellung, Materialien und Interpretation von Adrian Hsia. Frankfurt a. M. 1974

KARL JASPERS, Die maßgebenden Menschen. Sokrates Buddha Konfuzius Jesus. Neuausgabe. München 1975

KONFUZIUS. Materialien zu einer Jahrhundert-Debatte. Gesammelt von Joachim Schickel. Frankfurt a. M. 1976 (it 87)

AI, Ehrentitel des Fürsten Dsiang vom Staate Lu, regierte von 494–468 v. Chr.

AU, ein wegen seiner Stärke bekannter Held aus der Hiadynastie.

BE, eine Adelsfamilie aus dem Staate Tsi, aus dem Besitz der Stadt Biën durch den Minister Guan Dschung vertrieben.

BE GO und BE DA, zwei Beamte zu Beginn der Dschoudynastie.

BE I, ein berühmter Prinz aus dem Ende der Schang- oder Yindynastie, der mit seinem Bruder Schu Tsi zusammen freiwillig den Hungertod starb, als die Dschoudynastie ans Ruder kam.

BE NIU, literarischer Name des Jan Gong. An einer aussatzartigen Krankheit verstorbener Jünger Kungs.

BE YÜ, literarischer Name des Kung Li. Sohn des Meisters.

BI, Stadt in Lu, die Hauptfestung der Familie Gi.

BI GAN, Verwandter des Tyrannen Dschou Sin aus der Yindynastie.

BI HI, rebellischer Hausbeamter des Geschlechtes Dschau von Dsin.

BI SCHEN, ein Minister des Staates Dschong.

BIËN, Stadt in Lu, Geburtsstadt des Jüngers Dsï Lu und des alten Heroen Dschung.

BIËN, Stadt in Tsi.

BU SCHANG, siehe Dsï Hia.

DA HIANG, Dorf.

DIËN, siehe Dsong Hi.

DING, Ehrentitel des Fürsten Sung von Lu, 509–495 v. Chr.

DSAI Wo = Dsai Yü, literarischer Name Dsï Wo, Jünger Kungs, »enfant terrible« der Schule.

DSANG WEN, hoher Beamter von Lu.

DSANG WU DSCHUNG, hoher Beamter von Lu.

DSCHANG, siehe Dsï Dschang.

DSCHAU, eines der Adelsgeschlechter des Staates Dsin.

DSCHAU, ein Prinz von Sung, der wegen seiner Schönheit berühmt war.

DSCHÏ, Kapellmeister im Staate Lu.

DSCHONG, ein Lehensstaat, dessen Musik als ausschweifend galt.

DSCHOU, die dritte Dynastie des alten China, 1122–249 v. Chr.

DSCHOU GUNG, der Fürst von Dschou, Bruder des Königs Wu, des Gründers der Dschoudynastie.

DSCHOU JEN, ein Geschichtsschreiber aus alter Zeit.

DSCHOU NAN, Titel des ersten Buches des Schï Ging.

DSCHOU SIN, der letzte tyrannische Fürst aus der Yindynastie.

DSCHU DSCHANG, ein Eremit aus dem Staate Tschu.

DSCHUAN, ein Beamter unter Gung-Schu Wen, dem Kanzler von We.

DSCHUAN YÜ, ein kleiner Lehensstaat inmitten des Staates Lu.

DSCHUANG von Biën, ein wegen seiner Tapferkeit berühmter Held.

DSCHUNG DU und

DSCHUNG HU, zwei Beamte aus der Dschoudynastie.

DSCHUNG GUNG, siehe Jan Yung.

DSCHUNG MOU, eine Stadt in Dsin.

DSCHUNG NI, der literarische Name Kungs, s. a. Kiu.

DSCHUNG SCHU YÜ, siehe Kung Wen.

DSCHUNG YU, siehe Dsï Lu.

DSI oder HOU DSI, Ackerbauminister unter den alten Herrschern Yau und Schun.

DSÏ DSCHANG = Duan Sun, Vorname Schï, literarische Bezeichnung Dsï Dschang, ein ziemlich häufig genannter Schüler.

DSÏ DSIË = Mi Bu Tsi (literarische Bezeichnung Dsï Dsiën), Schüler Kungs.

DSÏ-FU GING, Beamter von Lu.

DSÏ GAU = Gau Tschai (literarische Bezeichnung Dsï Gau), ein jüngerer Schüler Kungs.

DSÏ GUNG = Duan Mu Tsï oder Sï (literarische Bezeichnung Dsï Gung), einer der meistgenannten Schüler, der wegen seines imponierenden Äußeren von manchen zeitweise sogar über den Meister selbst gestellt wurde.

DSÏ HIA, Geschlechtsname Be, Rufname Schang, literarische Bezeichnung Dsï Hia, ein ziemlich häufig genannter Jünger und Schulhaupt nach Kungs Tode.

DSÏ HUA, siehe Gung Si Hua.

DSÏ KIN, siehe Tschen Kang.

DSÏ LU = Dschung Yu, (literarische Bezeichnung Dsï Lu), der durch seine Kühnheit, aber auch zufahrendes Wesen bekannte Jünger Kungs, der »Petrus« der Schule. Auch Gi Lu genannt.

DSÏ SANG BE DSÏ, eine nur einmal genannte Persönlichkeit.

DSÏ TSCHANG = Gung-Su Kiau (literarische Bezeichnung Dsï Tschan), der Kanzler des Lehensstaates Dschong, persönlicher Freund Kungs.

DSÏ WEN, Kanzler des Staates Tschu im Süden.

DSÏ YU, siehe Yu.

DSÏ YU = Yën Yën, (literarische Bezeichnung Dsï Yu, gemischte Bezeichnung Yën Yu), ein Jünger Kungs; nicht zu verwechseln mit Jan Yu (literarische Bezeichnung Dsï Yu).

DSÏ YÜ, ein Minister im Lehensstaat Dschong.

DSIË YÜ, der Narr von Tschu.

DSIN, Name eines Lehensstaates, der zeitweise die Hegemonie hatte.

DSO KIU MING, eine Persönlichkeit des chinesischen Altertums, die nicht genau zu identifizieren ist.

DSONG SCHEN, literarische Bezeichnung Dsï Yu, in der Regel als Meister Dsong bezeichnet, einer der Hauptjünger Kungs.

DSONG SI, mit Rufnamen Diën, Vater des Jüngers Dsong Schen.

DSOU, der Mann von –, Bezeichnung für Kungs Vater.

DUNG LI, Name des Platzes, wo der Kanzler Dsï Tschan von Dschong wohnte = Ostdorf.

FAN TSCHÏ, literarischer Name des Fan Su; ein Jünger.

FANG, Name einer Stadt im Fürstentum Lu.

FANG SCHU, ein Musiker aus dem Fürstentum Lu.

FONG, sagenhafter Göttervogel.

GAN, Name eines Musikers aus dem Staate Lu.

GAU DSUNG, Ehrentitel des alten Kaisers Wu Ding, 1324 bis 1264 v. Chr.

GAU YAU, Justizminister des Kaisers Schun.

GI oder GI SUN, das bedeutendste der im Staate Lu herrschenden Adelsgeschlechter.

GI, Herr von –, Verwandter des Tyrannen Dschou Sin.

GI, ein kleiner Staat, in dem die Nachkommen der Hiadynastie regierten.

GI DSÏ TSCHONG, ein Beamter von We.

GI LU, siehe Dsï Lu.

GI SUI und GI GUA, zwei Beamte aus der Dschoudynastie.

GI WEN, Ehrentitel eines Gliedes der Gi-Familie, ein hervorragender Beamter in Lu.

GIË NI, ein Eremit im Staate Tschu.

GIËN, Fürst im Staate Tsi.

GING, Fürst des Staates Tsi zu Kungs Zeit.

GING, ein Prinz des Staates We.

GIU, Bruder des Fürsten Huan von Tsi, der von diesem letzteren getötet wurde.

GÜ BE YÜ oder GÜ YÜAN, ein hoher Beamter des Staates We.

GÜ FU, eine kleine Stadt an der Westgrenze von Lu.

GUAN DSCHUNG, Name: I-Wu, Kanzler des Fürsten Huan von Tsi, dem er zur Hegemonie verhalf.

GUNG BE LIAU, ein Verwandter des Fürstenhauses von Lu, der ein . Gegner Kungs war.

GUNG MING GIA, ein Beamter des Fürstentums We.

GUNG-SCHAN FU-JAU, ein Rebell.

GUNG SCHU, eine große Adelsfamilie im Fürstentum We.

GUNG-SI HUA oder DSÏ HUA, literarische Bezeichnung des Jüngers Gung-Si Tschï.

GUNG-SUN KIAU, siehe Dsï Tschan.

GUNG-SUN TSCHAU, Mann aus We.

GUNG TSCHO, siehe Mong Gung Tscho.

GUNG YE TSCHANG, Schwiegersohn Kungs.

HAN, ein großer Fluß in China, früher Grenze des Reichs.

HIA, Name der ältesten regulären Dynastie, von Yü begründet.

HIËN, Vorname des Schülers Yüan Sï.

HU HIANG, eine berüchtigte Gegend.

HUAN, Fürst des Staates Tsi, 684–643 v. Chr.

HUAN, eine Bezeichnung der drei Adelsgeschlechter von Lu.

HUAN TUI, ein dem Kung feindlich gesinnter hoher Beamter des Staates Sung.

HUI, siehe Yen Hui.

HUI von LIU HIA, ein bedeutender Beamter von Lu.

I, ein kleiner Grenzort zwischen Lu und We.

I, ein sagenhafter Bogenschütze der Vorzeit.

I-YI, ein von der Welt zurückgezogen Lebender.

I YIN, ein berühmter Minister des Tang, des Begründers der zweiten Dynastie (Schang).

JAN BE NIU, siehe Be Niu.

JAN GANG, siehe Be Niu.

JAN KIU (Jan Ch'iu), literarischer Name Dsï Yu, gewöhnlich Jan Yu genannt (nicht zu verwechseln mit Dsï Yu = Yen Yen), einer der berühmtesten Jünger, der lange im Dienste der Familie Gi in Lu stand.

JAN YU, siehe Jan Kiu.

JAN YUNG (literarische Bezeichnung Dschung Gung), ein Jünger.

JU BE, ein Mann aus Lu, dessen Besuch Kung ablehnte.

KANG, Freiherr, siehe Gi Kang.

KIU, Vorname des Kung, mit dem er sich selbst bezeichnet, von der chinesischen Literatur in der Aussprache vermieden; sie setzen dafür »Mu«, ein Gewisser, ein.

KIU, siehe Jan Kiu.

KUANG, ein Platz, wo Kung in Lebensgefahr geriet.

KUNG WEN DSÏ, Ehrentitel des Gung-Schu Dsï Yu, eines Beamten des Staates We.

KÜO, Name eines Dorfes, vermutlich die Heimat Kungs.

KÜO, ein Musiker von Lu.

LAU, Geschlechtsname Kin, literarische Bezeichnung Dsï Kai, ein Jünger.

LI, siehe Tang.

LI, siehe Be Yü (Sohn Kungs).

LIAU, ein Musiker in Lu.

LIN FANG, ein Mann aus Lu, vermutlich ein Jünger.

LING, Fürst des Staates We, 533–492 v. Chr.

LU, der Heimatstaat Kungs.

MIËN, ein Kapellmeister in Lu.

MIN DSÏ KIËN, auch Meister Min genannt, ein Jünger.

MONG, ein Berg im heutigen Schantung.

MONG, eines der drei herrschenden Adelsgeschlechter in Lu, das dem Rang und Alter seines Stammherrn nach zweite Huan.

MONG DSCHÏ FAN, ein wegen seiner Tapferkeit berühmter Held von Lu.

MONG DSCHUANG, Haupt der Familie Mong von Lu vor der Zeit Kungs.

MONG GING, Ehrentitel des Mong Sun Gië, des Enkels von Mong I.

MONG GUNG TSCHO, ein Haupt der Mong-Familie in Lu, einer der besten Männer der drei Adelsgeschlechter.

MONG I, Ehrentitel des Mong Sun Ho Gi, Haupt der Mong-Familie in Lu z. Z. Kungs.

MONG SUN, siehe Mong I.

MONG WU, Sohn des Mong I.

NAN DSÏ, eine berüchtigte Fürstin von We, Frau des Fürsten Ling, Schwester des Prinzen Dschau von Sung.

NAN GUNG GO, wird mit Nan Yung identifiziert.

NAN YUNG, ein Jünger, Schwiegersohn des älteren Bruders Kungs.

NING WU, ein Beamter im Staate We.

PONG, eine nicht zu identifizierende Gestalt des Altertums.

SCHANG, siehe Dsï Hia.

SCHAU, Name der Musik des alten Herrschers Schun.

SCHAU HU, Minister des Bruders des Fürsten Huan von Tsi, der mit seinem Herrn in den Tod ging.

SCHAU LIËN, ein Weiser, der sich vor der Welt verbarg.

SCHAU NAN, eine Abteilung des Liederbuchs.

SCHÊ, ein Bezirk des »Königreichs« Tschu.

SCHEN, siehe Dsong Schen.

SCHEN TSCHANG, literarische Bezeichnung Dsï Dschou, ein Jünger.

SCHÏ, siehe Dsï Dschang.

SCHÏ MEN = Steintor, ein Paß zwischen Lu und Tsi.

SCHÏ SCHU, mit Namen Yu Gu, ein Beamter des Staates Dschong.

SCHOU YANG, Berg in Schansi.

SCHU HIA und SCHU YE, zwei Brüder aus der Dschoudynastie.

SCHU-SUN WU SCHU, ein Haupt der Schu-Sun-Familie, eines der drei herrschenden Adelsgeschlechter in Lu.

SCHU TSI, Bruder des Be I, ein edler Prinz aus dem Ende der zweiten Dynastie.

SCHUN, ein Herrscher des Goldenen Zeitalters, der Nachfolger Yaus.

SÏ oder TSÏ, siehe Dsï Gung.

SÏ-MA NIU, ein Jünger.

SIANG, ein Musiker im Staate Lu.

SIË, ein kleiner Lehensstaat.

SUNG, ein kleiner Lehensstaat, in dem die Nachkommen der Yindynastie regierten.

TAI BE, ein Verwandter des Begründers der Dschoudynastie.

TAISCHAN, ein Berg im heutigen Schantung, der berühmteste der heiligen Berge Chinas.

TAN-TAI MIĖ-MING, literarische Bezeichnung Dsï Yu, ein Jünger.

TANG, der dynastische Titel des alten Herrschers Yau. Siehe Yau.

TANG, mit dem Vornamen Li, ist der Begründer der zweiten Dynastie (Schang).

TO, ein Beamter des Staates We, wegen seiner Beredsamkeit bekannt.

TONG, ein kleiner Lehensstaat.

TSAI, ein Lehensstaat, durch den Kung bei seinen Wanderungen kam.

TSCHAI, siehe Dsï Gau.

TSCHANG DSÜ, ein Eremit im Staate Tschu.

TSCHEN, ein Lehensstaat im Süden.

TSCHEN KANG, literarischer Name Dsï Kin, ein Jünger Kungs.

TSCHEN TSCHONG, Minister im Staate Tsi.

TSCHEN WEN, Beamter in Tsi.

TSCHĬ, siehe Gung-Si Hua.

TSCHU, ein ursprünglicher Lehensstaat im Süden, der sich zu Kungs Zeit aber schon ziemlich selbständig gemacht hatte.

TSCHUI, siehe Dsï Gau.

TSI, der nördliche Nachbarstaat von Lu.

TSI-DIAU KAI, aus Lu, Schüler Kungs.

TSIN, ein Lehensstaat, dem später der berühmte Schï Huang Ti entstammte.

TSUI, ein hoher Beamter des Staates Tsi.

WANG-SUN GIA, ein hoher Beamter von We.

WE, ein Lehensstaat, in dem sich Kung häufig aufhielt und aus dem mehrere Jünger entstammten.

WE, ein kleiner Staat im heutigen Schansi.

WE, Name eines der im Staate Dsin regierenden Adelsgeschlechter.

WE-SCHONG GAU, wegen Wahrheitsliebe bekannt.

WE-SCHONG MOU, ein alter Bekannter Kungs.

WEN, Fürst von Dsin.

WEN, Ahn der Dschoudynastie.

WEN, ein Fluß zwischen Tsi und Lu.

WU, Musik des Königs Wu der dritten Dynastie.

WU, ein Musiker von Lu.

WU, Name eines Lehensstaates, in dem ein Zweig der fürstlichen Familie von Lu regierte.

WU MA KI, ein Jünger.

WU SCHU, Mitglied der Schu-Familie in Lu.

WU TSCHONG, eine Stadt in Lu.

WU WANG, der erste König der dritten oder Dschoudynastie.

YANG, ein Musiker von Lu.

YANG FU, ein Jünger von Dsong Schen.

YANG HO, der Hausminister der Familie Gi in Lu.

YAU, der älteste von Kung erwähnte Herrscher Chinas.

YEN HUI, literarischer Name Dsï Yüan, gemischte Bezeichnung Yen Yüan, der Lieblingsjünger Kungs.

YEN LU, der Vater des Jüngers Yen Hui.

YEN PING DSCHUNG, Minister im Staate Tsi zur Zeit Kungs.

YINDYNASTIE, die dritte Dynastie (= Schangdynastie).

YU, siehe Dsï Lu.

YU JO (literarische Bezeichnung Dsï Yu, auch Meister Yu genannt), ein Jünger.

YÜ, siehe Dsai Wo.

YÜ, der dritte Herrscher des Goldenen Zeitalters.

YÜ (literarische Bezeichnung Dsï Yu), Geschichtsschreiber des Staates We.

YÜ oder Yu Yü, siehe Schun.

YÜ DSCHUNG, Bruder des Tai Be.

YÜAN JANG, ein alter Freund Kungs.

YÜAN SÏ, siehe Hiën.

YUNG, siehe Jan Yung.

Geist, Art (De)
I, 9 II, 1 (Kraft des Wesens),
3 IV, 11 (innerer Wert), 25
VI, 27 (menschl. Naturanlage)
VII, 3, 6, 22 VIII, 1 (Tu-
gend), 20 IX, 17 XI, 2
XII, 10, 11 (Talente), 19
(Wesen), 21 XIII, 22 XIV,
5, 6, 35 (Rasse), 36 (Güte)
XV, 3 (Macht des Geistes),
12 (Tugend), 26 (geistiger
Wert) XVI, 12 (gute Eigen-
schaften) XVII, 13 (Tugend),
14 (Geist) XIX, 2 (geistiges
Wesen), 11
Geister (Gui)
II, 24 VI, 20 VIII, 21
(Gott) X, 16 (Donnerschlag
und heftiger Sturm) XI, 11
Geradheit (Dschï)
II, 19 V, 23 VI, 17 VIII,
2, 16 XII, 20, 22 XIII, 18
XIV, 36 XV, 6 XVI, 4
XVII, 8
Gerechtigkeit (I) s. Pflicht
Gesetz des Himmels (Tiën ming)
II, 4 VI, 19 XI, 18 XII, 5
XIV, 38 XVI, 8 XX, 3
Gewinn s. Lohn
Glaube s. Treu und Glaube
Götter (Schen)
III, 6, 12, 13 VI, 4 (Berg
und Flüsse), 20 (ehren und
fernhalten) VII, 20 (Däm-
merung), 34 (Götter und Erd-
geister) VIII, 21 (Gott) IX,
8 (Phönix und Flußschild-
kröte) XVI, 1 (Mong-Berg)
XVIII, 5 (Vogel Phönix)
Gut (Schan)
II, 20 VII, 3, 21, 25, 27
VIII, 4 XI, 19 XII, 21, 23
XIII, 11, 15, 22, 24, 29 (ein

[Gut (Schan)]
tüchtiger Mensch) XV, 32
XVI, 5 (Tüchtigkeit), 11
XIX, 20 (Schlechtigkeit, bu
schan)
Gütigkeit (Schu) s. Treu und
Glauben
Harmonie (Ho)
I, 12 III, 23
Heilig (Schong)
VI, 28 VII, 25 (Gottmensch),
33 (Genialität) IX, 6 (Genie)
XVI, 8 XIX, 23, 24 XX, 1
Himmel
III, 13, 24 V, 12 (Tiën Dau)
VI, 8 (Be Nius Krankheit),
19 (Schang, höchste Dinge),
26 VII, 22 (Gott) VIII, 19
IX, 5, 11 XI, 8 (Gott) XII,
5 XIV, 37 XVII, 19
Irrlehren
II, 16
Kennen s. Wissen
Klarheit (Ming)
XII, 6 XVI, 10
König (Wang)
XIII, 12
Krankheit und Tod
II, 6 IV, 8 VI, 2, 8 VIII,
3, 4, 7, 13 IX, 5, 11, 21 X,
13, 15 XI, 6, 7, 8, 9, 10,
11, 12, 22 XII, 5 (Tod und
Leben), 7, 10 XIV, 6, 17, 18
XV, 8 (Tod), 34 XVI, 12
XVII, 20
Krieg
VII, 10 IX, 25 XII, 7
XIII, 29, 30 XV, 1 XVI,
1, 2
Kultur, Kunst (Wen)
I, 6 III, 9, 14 V, 12, 14,
17, 19, 21 VI, 16 (Form und
Gehalt, Wen Dschï), 25 (Lite-

INHALTSVERZEICHNIS

Die mit * versehenen Abschnitte enthalten nicht eigne Worte des Meisters.

BUCH III

BUCH VII

BUCH VIII

BUCH IX

BUCH XII

BUCH XIII

BUCH XIV

BUCH XV

Zwei Stimmen zur Erstveröffentlichung der »Gespräche« des Kungfutse in der Übertragung Richard Wilhelms (1910)

Confucius deutsch / Von Hermann Hesse

Im ersten Augenblick stehen wir befremdet und beinahe abgeschreckt, wenn wir hören, daß bei Eugen Diederichs in Jena die wichtigsten Dokumente chinesischer Kultur und Religion in zehn Bänden deutsch erscheinen sollen. Wer soll das lesen? Wer soll das verdauen? Müssen wir das nicht den Sinologen überlassen? Denn so froh wir ähnliche Erschließungen, namentlich die der indischen Altertümer, sonst begrüßen, so stehen wir doch eben gerade den Chinesen in vollkommener Fremdheit gegenüber. Wir empfinden alles, was von dort kommt, als fremd, anders, auf einem anderen Rhythmus, ja Lebensgesetz beruhend als unser Sein und Denken.

Der erste Band dieser großen Sammlung, der die Gespräche des Confucius bringt, hat mir diese Stimmung zum Teil bestätigt und bestärkt. Trotzdem zwingt die kluge Bewußtheit und offensichtliche Akkuratesse des Herausgebers dieser Riesenarbeit, des schwäbischen Theologen Wilhelm in Tsingtau, zu Anerkennung und Dankbarkeit. Der Band Confucius beginnt mit einer ganz meisterlichen Einleitung des Übersetzers, deren Lektüre mehr als ein Genuß ist. Er bringt sodann die »Gespräche« des großen Chinesen in einer fast durchweg doppelten Übersetzung, einer nahezu wörtlichen und einer paraphrasierend sinngemäßen.

Leicht ist die Lektüre nicht, und immer wieder hat man das Gefühl, eine fremde Luft zu atmen, welche von anderer Art und Zusammensetzung ist als die, die wir zum Leben brauchen. Dennoch bereue ich die mit diesen Gesprächen verbrachten Tage nicht. Berührt uns auch der chinesische Geist wie der Anblick von Erzeugnissen eines fremden Weltkörpers, so tut es doch wohl und ist eine treffliche Übung, einmal mehr als nur oberflächlich da hineinzuschauen. Denn das nötigt uns, unsere eigene, individualistische Kultur auch einmal nicht als selbstverständlich, sondern im Vergleich mit ihrem Widerspiel zu betrachten. Und dabei bleibt es nicht, sondern es entsteht im Lesenden manchmal für Augenblicke die seltsam aufleuchtende Vorstellung der Möglichkeit einer Synthese beider Welten.

Denn als innersten Kern im Wesen des großen Fremdlings Confucius erkennen wir dieselben Eigenschaften, die wir bei den großen Menschen der abendländischen Geschichte längst kennen. Wir empfinden Dinge als natürlich, die uns anfänglich wie groteske Verirrungen erschienen, und finden Dinge reizvoll, ja schön, die uns zuerst abschreckend trocken vorkamen. Und wir Individualisten beneiden diese chinesische Welt um die Sicherheit und Größe ihrer Pädagogik und Systematik, der wir nichts an die Seite zu stellen haben als unsere Kunst und unsere vielleicht größere Bescheidenheit vor der außermenschlichen Natur.

In: Die Propyläen, 7. Jg. 1910, Nr. 40, Seite 637. – Die von Hermann Hesse angesprochene zehnbändige Sammlung erschien, »aus den Originalurkunden übersetzt und herausgegeben von Richard Wilhelm«, allerdings in acht Bänden. Es ist die Reihe »Die Religion und Philosophie Chinas« (Jena 1910–1930), die u. a. das Buch der Wandlungen (I Ging), Das Buch des Alten vom Sinn und Leben (Laotse, Taoteking), Das Buch der Sitte (Li Gi) und »Frühling und Herbst des Lü Bu We« enthält.

Vom chinesischen Geist / Von Alfons Paquet

Es ist schwer zu sagen, welche Einflüsse der in den chinesischen staatlichen Riten zur höchsten Ehre gelangten Gedankenrichtung des Konfuzianismus bei der Weiterentwicklung einer staatsphilosophischen Lebensauffassung in Europa noch offen stehen. Zum Beispiel decken sich die Leitsätze des Monismus in nuce mit denen des Konfuzianismus. Für die Lehre vom Tao, dem Begriff des »Weges«, der »Rede«, wie ihn der sagenhafte Laotse und sein uns zeitlich um einige Jahrhunderte näherer Apostel Dschuang predigen, sind daneben die mystisch gerichteten Seelen unseres modernen Europa voll